COURS DE
CERAMIQUE

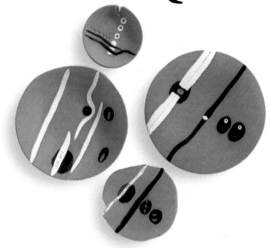

A mes élèves, au cours des années.

ISBN 2-86535-314-1

Imprimé en Italie

GRANDS MANUELS

Monique Bousquet

COURS DE CERAMIQUE

Modelage • Poterie • Décoration

C*ELIV*

SOMMAIRE

INTRODUCTION

LES QUATRE ELEMENTS ESSENTIELS DE LA CERAMIQUE

TERRE = argile, matériau de base
EAU = donne à l'argile la malléabilité et la plasticité nécessaires
AIR = sèche l'argile humide
FEU = avec la cuisson, l'objet prend sa forme définitive

L'argile est un matériau magique. En effet, lorsqu'elle est utilisée avec joie et amour, sa plasticité nous apparaît. Au contraire, si elle est mal traitée ou trop travaillée, elle peut s'effriter ou se désintégrer. Souvent le céramiste parle de «mémoire» de l'argile. L'argile est avant tout forme et ensuite décoration. Le feu de la première cuisson transforme l'argile de l'état cru et friable en un objet résistant et d'une autre couleur. Cette «magie» est encore plus prononcée lors de la deuxième cuisson, où les couleurs et les émaux appliqués sur le biscuit prennent vie et lumière. Pour le céramiste, tout cela est une émotion qui se répète à chaque fois.

Les phases de réalisation d'un objet en argile sont les suivantes:
- modelage à la main, au tour ou coulage;
- séchage;
- première cuisson pour obtenir le biscuit;
- décoration;
- deuxième cuisson;
- parfois une décoration à petit feu.

Ce manuel est le fruit de mon enseignement et le but est de vous donner les bases nécessaires pour fabriquer à la main des objets d'usage ou non. Vous serez guidés manuellement lors de l'apprentissage des différentes techniques de modelage et de décoration. Chaque technique présente plusieurs objets à fabriquer et chacun doit être considéré comme un projet à réaliser, car c'est seulement en manipulant l'argile que l'on arrive à comprendre comment une forme évolue. Ne vous préoccupez pas si les premières créations ne réussissent pas comme vous le voulez, car chaque fois que vous travaillerez, tout sera plus facile et les résultats plus satisfaisants. Considérez ce manuel comme un point de départ. Rappelez-vous qu'aussi bien l'argile que les méthodes pour la décorer sont variées et

pratiquement infinies. Donc, en ayant appris les bases, laissez courir à bride abattue votre imagination et votre créativité. Chacun de vous trouvera un espace sans limites pour sa propre recherche de nouvelles modalités expressives. A la fin de cet acheminement, vous attribuerez peut-être vous aussi, à cette forme artistique noble, cette valeur particulière que déjà les cultures antiques lui attribuaient.
Il est important que chaque problème devienne une occasion de créativité. Laissez-vous guider par votre intuition et vos mains. Avec l'expérience, l'argile vous deviendra toujours plus familière. L'argile vous invite à la modeler. Elle est liquide, plastique, dure comme le cuir, délicate et résistante après la cuisson. Pour pouvoir travailler l'argile et obtenir une bonne maîtrise de la matière, il est absolument nécessaire de comprendre les méthodes de modelage, de séchage, de cuisson et de décoration. Le manque d'un minimum de théorie accompagné du manque d'une réelle pratique guidée est la cause de déceptions qui pourraient être évitées. Nous voulons vous encourager à fabriquer des objets avec une ou plusieurs techniques. Cela rendra le travail plus personnel et stimulant. Ce manuel veut également aider ceux qui ne disposent pas de beaucoup d'espace ou d'un grand outillage. On peut faire de la céramique même sans le tour. Tous les exemples et les techniques illustrés pas à pas, aussi bien pour le modelage que pour la décoration, sont à considérer, déjà eux-mêmes, des projets à réaliser. J'ai cherché également à introduire un élément nouveau avec chaque technique présentée, en particulier:
- comment rajouter des morceaux d'argile à une forme;
- comment égratiner un dessin, même simple, dans l'argile;
- comment imprimer dans l'argile, etc....
Ainsi, petit à petit, vous formerez votre «vocabulaire».

L'ARGILE
A TRAVERS LES SIECLES

*Page ci-contre: petite
cruche étrusque avec
décoration géométrique «à
rideaux». Première moitié du
VIIIe siècle av. J.-C, Rome,
Musée de Villa Giulia.
A droite: plat en faïence
réalisé par Gino Franchi; en
bas: sculpture en argile de
Monique Bousquet.*

L'art de la céramique est une des activités les plus anciennes et primitives de l'homme, qui s'est développée dans le monde entier comme le démontrent les résultats de fouilles archéologiques des différentes cultures et époques de l'histoire de l'homme. Les premiers objets en céramique sont apparus lorsque l'homme a commencé à s'établir dans un lieu et à vivre dans une société agraire. Depuis 3000 av. J.-C., les grandes civilisations du bassin méditerranéen ont créées des céramiques d'un niveau artistique élevé, utilisées dans différentes cérémonies, et ont réalisé également des objets plus simples destinés à la conservation et à la cuisson de la nourriture. Au départ, la céramique était une activité domestique. Plus tard, grâce à une meilleure connaissance des pâtes, ce travail est exécuté par des artisans, pour toute la communauté, comme chez les Etrusques dès le IXe siècle av. J.-C. Au siècle suivant, on utilisait déjà des argiles dépurées et les vases étaient modelés au tour avec des techniques utilisées encore de nos jours. Il semble que les Egyptiens aient été les premiers à utiliser le tour pour modeler, environ en 2000 av. J.-C. Les rapports commerciaux entre l'Orient et l'Occident facilitèrent le développement de la glaçure, il y a déjà 5000 ans. Les Grecs distribuaient la décoration sur l'objet avec des scènes reprises de la mythologie, de l'épique et de la comédie avec une répartition rationnelle des zones avec des engobes et des décorations gravées.

Les Romains utilisèrent la technique de la «terra sigillata» et diffusèrent leurs techniques dans tous les pays de l'Empire.

La Chine développait, en même temps, son art de la céramique. Les pays islamiques avaient un échange commercial avec la Chine, et dans leur tentative d'imiter les porcelaines chinoises, ils utilisaient des émaux à base d'étain.

Cette pratique fit un long voyage des pays islamiques au Nord de l'Afrique, puis à l'Espagne et au Portugal, pour arriver en Italie à travers le port de Majorque, d'où le mot «majolique» prend son origine.

La majolique se répandit dans toute l'Italie au XVe siècle et en particulier en Ombrie, en Romagne et dans les Marches. Les majoliques à reflets – c'est-à-dire les majoliques à lustre – étaient connues même à l'étranger surtout grâce à Mastro Giorgio de Gubbio (milieu du XVe siècle). Les secrets de ces potiers se perpétuaient de père en fils.

La céramique a été utilisée dans l'architecture depuis l'antiquité. Les briques émaillées de Mésopotamie en sont un exemple, comme les carreaux en Egypte, les éléments architectoniques étrusques, islamiques et les carrelages en majolique des églises et des palais nobiliaires de la Renaissance.

POUR COMMENCER

LES PATES

Il existe une quantité de pâtes céramiques qui vont de l'argile liquide pour le coulage à l'argile plastique pour le modelage et le travail au tour, jusqu'aux pâtes semi-réfractaires et réfractaires, aux pâtes à porcelaine et à grès. Ces deux dernières, se vitrifient toutes seules à une température partant de 1200 °C et sont très résistantes après la cuisson. Si, d'un petit pain d'argile fraîche de n'importe quel type, nous prenons un morceau, nous le laissons sécher et nous le cuisons à la température idéale, nous pouvons observer le pourcentage de retrait.

En travaillant avec plusieurs pâtes, on se rend compte de la différence de plasticité, c'est-à-dire de la majeure ou mineure facilité avec laquelle on les travaille: en effet, chaque pâte a ses propres caractéristiques de travail. C'est seulement en essayant plusieurs pâtes que chacun trouvera la plus adaptée aux travaux qu'il désire réaliser.

La température de la première cuisson influe également sur la couleur du biscuit.

Par exemple, la même pâte blanche cuite à 920 °C peut apparaître de couleur crème, ou plus blanche si elle est cuite à 985 °C ou à 1000 °C. Lorsque nous achetons l'argile, il est important de demander la température de cuisson. Une pâte semi-réfractaire rouge, avec une température idéale de cuisson à 1060 °C, si elle était cuite à 1000 °C, apparaîtrait plus claire et sonnerait creux. Si nous achetons l'argile en sachet, il suffit de le maintenir bien fermé et de l'asperger avec de l'eau de temps en temps. Si, au contraire, la confection ne se ferme pas, il vaut mieux mettre le tout dans une poche en plastique lourde et procéder de la même manière.

Au lieu de laisser sécher les déchets produits durant le travail, il vaut mieux les conserver dans un récipient en plastique qui se ferme hermétiquement et les asperger de temps en temps, de façon à ce que la pâte soit éventuellement prête à être pétrie de nouveau. Elle ne doit pas se coller aux mains et devra en même temps rester malléable.

TECHNIQUES DE MODELAGE

Colombin

La variété des formes de modelage données aux objets fabriqués, est infinie. Nous pourrions parler de la beauté de la forme, mais ce qui est important ici est d'obtenir du plaisir et de la joie dans la création. Laissez la perfection aux appareils. Pensez à faire ressortir votre «moi» conscient et inconscient. Chaque objet représentera votre «façon d'être» à ce moment précis de votre vie intérieure.

La manipulation de l'argile sert à faire des expériences avec les différentes techniques et les divers matériaux pour développer une certaine sensibilité tactile et la capacité de manipulation. En même temps, vous apprendrez le rapport entre le poids et la dimension de l'objet fini. Vous pourrez découvrir ici la technique qui vous convient le mieux.

Bande

Les techniques les plus utilisées sont:
- colombin ou boudin
- bande
- plaque, souple ou rigide
- boule ou «pinch».

Ma recommandation la plus vive est de vous rappeler, lorsque vous apprenez une technique particulière, que l'on peut toujours combiner plus d'une technique sur le même objet.

Plaque

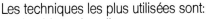

Trois diverses argiles à stades différents:
- *fraîche*
- *sèche*
- *biscuit.*

Il faut remarquer la différence du niveau de retrait entre l'argile blanche et rouge pour modeler et l'argile rouge semi-réfractaire.

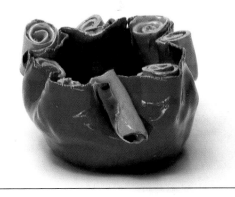

Boule

CONSEILS PRATIQUES

La barbotine agit aussi bien comme «colle» que pour éliminer d'éventuelles bulles d'air qui sont, dans la plupart des cas la cause de ruptures dans les objets lors de la première cuisson. Une barbotine trop liquide risque d'affaiblir les parois du vase durant sa fabrication. Il vaut mieux en utiliser une crémeuse.

Une forme fermée, un œuf par exemple, a toujours besoin d'un petit trou pour faire passer l'air.
Si deux morceaux d'argile sont superposés sans la certitude qu'il n'y ait pas de bulles d'air, il est nécessaire de réaliser de petits trous avec un poinçon ou à l'intérieur ou à l'extérieur, comme faisant partie du dessin.

Il faut chercher à fabriquer vos travaux sur un carreau de terre cuite non émaillée, afin qu'ils puissent être enlevés de la tournette avec facilité sans les endommager.

Si la base de l'objet est trop grande, il faut utiliser comme appui une planche en bois naturel sur lequel il faut placer du papier sulfurisé ou des feuilles de journaux, ou du plastique léger de façon à permettre le retrait lors du séchage.

Ne jamais réaliser des objets en travaillant autour d'un support rigide, comme, par exemple, une bouteille, un carton, une boîte, sans l'avoir doublé avec des feuilles de journaux. De cette façon, vous pourrez ôter le support avec facilité.

Il faut vider les sculptures, avant qu'elles deviennent de la consistance du cuir. Si elles ne sont pas trop grandes, pratiquez des trous dans la partie inférieure avec une aiguille à tricoter.

Ne jamais utiliser du bois peint, laminé ou des carreaux émaillés comme base d'appui. Ces matériaux ont un «effet ventouse» car l'argile fraîche s'y colle et lorsque l'objet commence à sécher il se retire difficilement de façon libre et des fissures peuvent se former. Rappelez-vous que toutes les argiles se retirent pendant le séchage. Si l'on ne dispose pas de bases d'un autre type, il suffira de recouvrir le plan de travail avec du papier sulfurisé, qui est très résistant et permet le retrait.

Se rappeler que chaque problème peut devenir une occasion de creativité.
Se laisser guider par sa propre intuition et ses propres mains.
Au fur et à mesure que vous travaillerez avec l'argile, elle deviendra plus facile à manier.

Utiliser un fil à couper pour détacher de la motte la quantité d'argile nécessaire.

Il existe de nombreux systèmes pour pétrir de nouveau les déchets.
Former une tête de bélier avec un mouvement rythmique, semblable à celui pour pétrir le pain. Cette méthode, non seulement élimine les bulles d'air, mais donne à l'argile une consistance uniforme.
Pour s'assurer que dans la pâte il ne reste pas de bulles d'air, battre l'argile sur le plan de travail. Puis, toujours en battant, former un rectangle ou un carré, selon le travail que l'on désire réaliser.
Par exemple, si la forme à créer est un plat, faire un carré; si l'on désire obtenir une plaque rectangulaire, former un rectangle. De cette façon, on évitera de gaspiller énergie et matériel.

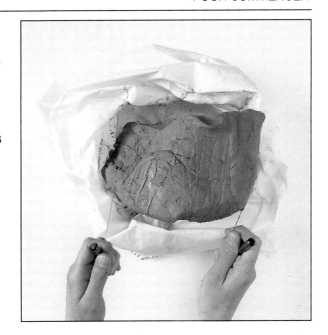

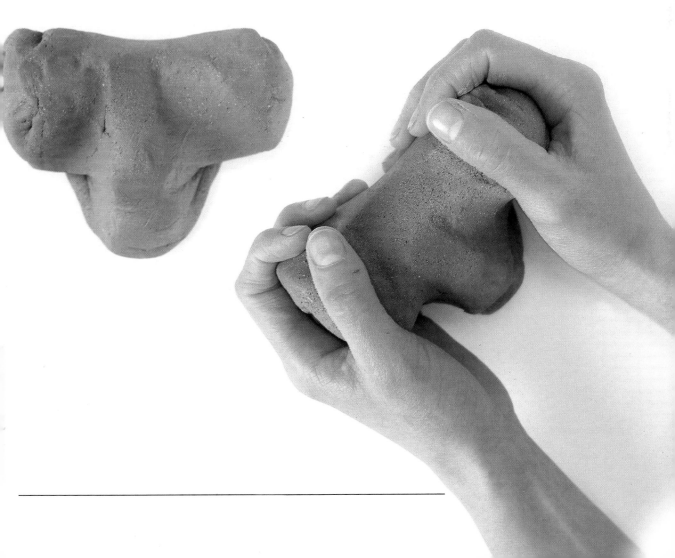

OUTILLAGE

- *Carreau ou planche de bois naturel*
Il sert pour travailler l'argile. Maintenir un côté pour l'argile blanche et un autre pour l'argile rouge.

- *Ebauchoirs en bois*
Assortiment varié pour modeler et imprimer.

- *Eponges*
Elles servent pour nettoyer et mettre la dernière main aux travaux.

- *Estèques en bois, caoutchouc et acier. Utiles pour les finitions.*

- *Fil à couper*
Il sert pour diviser la motte d'argile.

- *Mèches*
Pour former des trous ronds ou carrés dans l'argile plastique.

- *Mirettes en acier*
Assortiment varié pour modeler et imprimer.

- *Papier émeri*
Il est utile de granulations diverses pour la finition des objets secs.

- *Papier sulfurisé*
Très utile pour aplatir les plaques et les transférer du plan de travail à la zone de séchage, sans les abîmer.

- *Pieds de coq*
Supports à placer sous les objets lors de la deuxième cuisson.

- *Poinçon*
Il sert à marquer ou strier les jointures des pièces, pour couper l'argile, pour pratiquer de petits trous, etc.

- *Réglettes en bois naturel*
On en utilise de différentes épaisseurs pour réaliser des plaques de divers épaisseurs. On nécessite de deux pour chaque épaisseur, pour étendre les plaques de façon uniforme.

- *Rouleau en bois dur*
Pour aplatir les plaques.

- *Tournassins*
Ce sont des outils au manche long, très utiles pour affiner les lignes d'une surface à la consistance du cuir.

- *Tournette*
Tournette professionnelle pour modelage et filage. La tournette en plastique est plus légère.

- *Vaporisateur*
Très utile pour humidifier l'argile durant le travail ou le séchage.

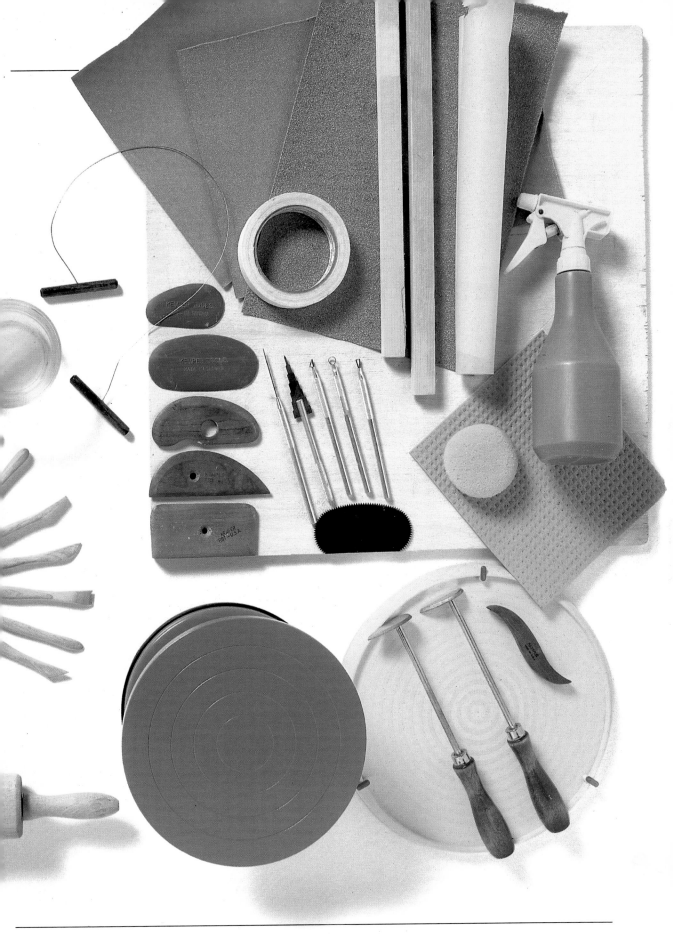

GLOSSAIRE

Argile: matériau naturel formé de la décomposition des roches.

Aspersion: technique d'émaillage qui consiste à verser l'émail sur l'objet.

Barbotine: argile rendue liquide en y mélangeant de l'eau pour former une bouillie crémeuse. On l'utilise pour coller les morceaux d'argile entre eux.

Biscuit: l'objet est appelé ainsi après la première cuisson. Pour l'argile de modelage, aussi bien blanche que rouge, la cuisson va de 900 °C à 1000 °C selon la pâte. Les argiles semi-réfractaires en général sont cuites à une température plus élevée, à 1050 °C environ.

«Bucchero»: céramique étrusque noire brillante, cuite en réduction. Aujourd'hui, le procédé consiste à placer les pièces crues sèches dans un récipient de fer-blanc, remplir les espaces vides avec du bois et fermer le récipient. La cuisson se fait à 750 °C environ. Lorsque l'objet a la consistance du cuir, on le polit en se servant du dos d'une cuillère ou d'un caillou lisse ou l'on passe sur la pièce un peu de «terra sigillata». Avec ce type de cuisson, l'objet devient noir même dans l'épaisseur, caractéristique qui indique un véritable *bucchero*.

Bulle d'air: espace vide qui se crée lorsque l'argile n'a pas été pétrie correctement ou lorsque les différents morceaux d'argile n'ont pas été reliés ensemble de façon correcte. C'est une des causes les plus fréquentes de rupture durant la première cuisson.

Chamotte: argile cuite et broyée qui est rajoutée à de l'argile plastique. Les grains peuvent être plus ou moins fins.

Colombin: petit rouleau en argile.

Consistance du cuir: l'état de séchage où l'argile n'est plus plastique, c'est-à-dire pétrissable, mais le séchage n'est pas encore complété. Si la consistance du cuir est à peine obtenue on peut encore inciser l'objet ou y rajouter des morceaux d'argile.

Craquelé: effet dans la glaçure semblable à une toile d'araignée.

Cru: argile sèche ou émail, pas encore cuits.

Cuisson:
- première cuisson: pour obtenir le biscuit après le séchage, selon le type de pâte, entre 900 °C et 1050 °C;
- deuxième cuisson: cuisson d'émail, pour cuire les glaçures et les émaux entre 900 °C et 1050 °C;
- troisième cuisson: «petit feu», pour cuire les couleurs, les ors et les lustres utilisés dans la décoration après la cuisson d'émail a 720-800 °C environ.

Déformation: inconvénient causé par un séchage trop rapide ou dans le cas où un objet ait été placé à sécher près d'une source de chaleur ou en plein courant d'air. Elle peut se vérifier également durant la cuisson lorsque le four ne chauffe pas de façon uniforme.

Egratigner: décorer en egratignant l'argile fraîche; ou encore l'engobe ou l'émail pour relever la couleur du dessous.

Email: voir *glaçure*.

Engobe: argile crémeuse de couleur naturelle ou colorée avec des oxydes métalliques. On l'applique sur la superficie de l'objet à l'état de consistance du cuir pour modifier la couleur de l'argile. Souvent, sur l'engobe on grave des dessins qui font apparaître la couleur de l'argile dessous.

Faïence: pâtes de couleur blanche ou ivoire après la cuisson.

Glaçure/émail: revêtement vitreux utilisé pour vitrifier et décorer l'objet céramique.

Glaçure transparente: vernis incolore utilisé lors de la deuxième cuisson pour rendre l'objet imperméable. La couleur naturelle de l'argile transparaît.

Grès: pâte imperméable vitrifié cuite à température élevée, de 1200 °C à 1300 °C.

Lier: unir deux morceaux d'argile, les colombins par exemple, en utilisant la barbotine.

Lustres: sels métalliques sur émail cuit et passés au petit feu à 700 °C environ.

Majolique: biscuit recouvert d'émail à base d'étain, sur lequel un dessin est peint et passé à la deuxième cuisson.

Mat: glaçure ou émail opaque.

Moufle: chambre du four en briques réfractaires, qui protège les objets du contact direct avec le feu.

Oxydant: cuisson en atmosphère avec présence d'oxygène. Les fours électriques cuisent en «oxydation».

Pétrir: travailler l'argile pour la rendre d'une consistance uniforme et sans bulles d'air (voir). Opération nécessaire lorsqu'on veut récupérer les déchets d'argile.

Plasticité: état où l'argile est malléable. Le degré de plasticité varie selon la pâte.

Poncif: dessin perforé sur papier que l'on transfère sur l'émail cru en tamponnant avec un petit sachet plein de poussière de charbon ou de graphite pulvérisée.

Porcelaine: céramique translucide et autovitrifiante composée de kaolin, feldspath et quartz. Elle est cuite à température élevée entre 1200 °C et 1350-1400 °C.

Raku: cuisson à basse température en utilisant une argile «chamottée» (voir *chamotte*). L'objet est enlevé du four incandescent, lorsque l'émail a atteint le point de fusion; il est ensuite immergé dans l'eau ou dans un matériau combustible pour obtenir une réduction.

Réduction: cuisson dans une atmosphère sans oxygène. Tous les types de four où il existe une flamme, par exemple ceux à bois, à gaz, etc. sont adaptés à ce type de cuisson.

Réfractaire: matériel céramique résistant à la fusion.

Réserve: substance grasse qui est étalée sur une partie du biscuit ou d'un émail pour l'isoler, alors que l'on procède à la décoration.

Retrait: contraction de l'argile durant le séchage ou la cuisson.

Semi-réfractaire: argile avec chamotte.

Sous-émaux opaques: ils sont semblables aux engobes et peuvent être appliqués aussi bien sur l'objet cru que sur le biscuit. Ils ont besoin d'une glaçure transparente pour vitrifier.

Sous-émaux translucides: ils sont appliqués comme les sous-émaux opaques mais à la différence de ceux-ci, ils restent transparents. Ils s'utilisent également pour la technique de la majolique.

Stanniphère: émail blanc, couvrant, brillant, contenant de l'étain, utilisé dans la technique de la majolique.

Talon: base ou support d'un objet en céramique. Dans la fabrication à la main, on l'obtient en général en rajoutant un colombin; dans le travail au tour, on l'obtient en retirant de l'argile durant la finition.

«Terra sigillata»: engobe fin obtenu par le décantage d'une argile liquide. On utilise seulement la partie restée en suspension. Une technique utilisée par les Romains.

Terre cuite: argile cuite entre 900 °C - 1000 °C sans glaçure ni émail.

Vernis à réserver: produit qui préserve un espace délimité lors de la décoration à petit feu.

Vitrifier: rendre imperméable par l'usage de la glaçure ou de l'émail.

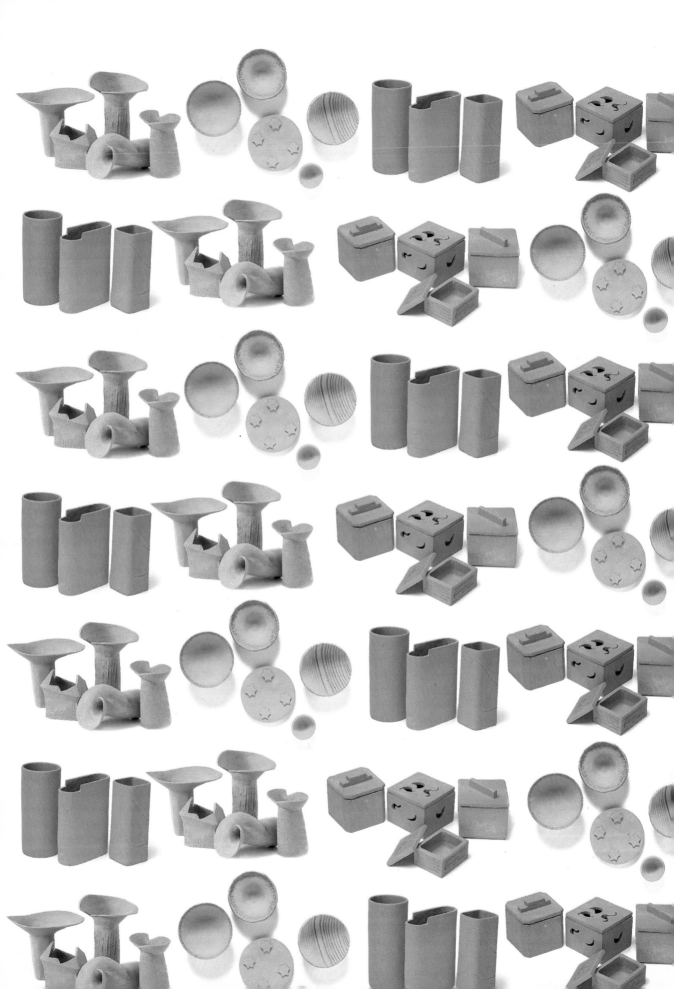

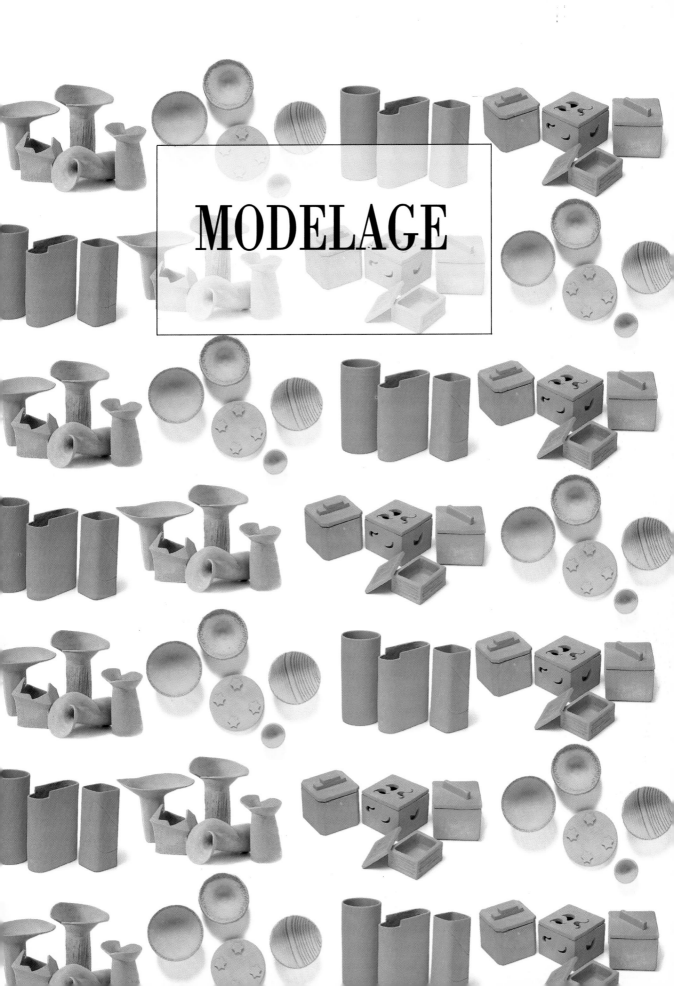

MODELAGE

LE COLOMBIN

Le colombin ou boudin est une technique très ancienne mais utilisée encore aujourd'hui. Elle est indiquée pour créer des objets creux de n'importe quelle dimension et forme. Grâce à sa flexibilité, c'est la base de toutes les techniques de modelage à la main. En outre, elle se prête parfaitement à être utilisée en combinaison avec toutes les autres techniques. Une fois que vous vous êtes familiarisés avec le colombin, il est également beau laissé «visible». Il est préférable de commencer avec des formes simples comme les cylindres, qui peuvent être élaborés, par exemple, avec des gravures ou des graffiti.

En étant la base de toutes les techniques, c'est la première à apprendre. Commencez en faisant un cylindre, comme décrit dans le projet. Le cylindre est une forme simple à exécuter. S'exercer d'abord avec des cylindres bas qui demandent moins de temps que des cylindres hauts. Si vous utilisez une argile chamottée (semi-réfractaire) ce sera plus facile au début car ce type d'argile est plus ferme qu'une argile lisse de modelage.

Après avoir fait deux ou trois petits vases, vous êtes prêts à passer au second projet: la jatte. Vous vous apercevrez tout de suite de la différence et de la majeure difficulté dans la fabrication d'une forme qui s'élargit. Probablement, vous devrez vous arrêter avant, mais vous pouvez recommencer à agrandir et élargir la forme dès que l'argile sera un peu raffermie. Comment réaliser cela est expliqué à la p. 30.

Au début, la fabrication à colombin est lente. Si vous trouvez dans cette technique celle qui vous convient, vous vous apercevrez qu'au fur et à mesure le travail se poursuit plus rapidement et avec un certain rythme, comme si la forme s'agrandissait toute seule, car vous pouvez aussi préparer un certain nombre de colombins et les maintenir humides entre deux feuilles de cellophane. Si, au contraire, vous trouvez que le colombin ne vous convient pas, vous aurez entre-temps appris à faire un colombin et vous saurez l'utiliser avec une autre technique, vous serez capables de faire un talon, etc...

L' utilisation d'un ébauchoir en bois pour relier entre eux les colombins rend plus facile la protection des parois aussi bien de l'intérieur que de l'extérieur, au cours de la réalisation. En utilisant seulement les doigts, surtout pour ceux qui n'ont pas encore une certaine maîtrise de l'argile fraîche, on tend à trop affiner les parois et il arrive un moment où il n'est plus possible de rajouter d'autres colombins, ou bien la fabrication ne tiendra pas.

En ayant les parois lisses, aussi bien le vase que la jatte se prêtent à n'importe quelle décoration. L'outillage essentiel est composé d'une tournette, un carreau de terre cuite, le fil à couper pour détacher l'argile de la motte, le poinçon pour graver entre un colombin et l'autre, un pinceau pour étendre la barbotine, une estèque en caoutchouc et en métal pour lisser durant la fabrication et une éponge naturelle pour lisser à la fin du travail.

VASE A CYLINDRE

Donner à un morceau d'argile
la forme d'un gros cigare, en
utilisant les paumes des
mains et en évitant de laisser
1 les empreintes des doigts.

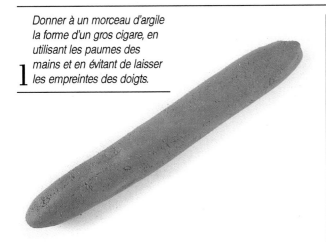

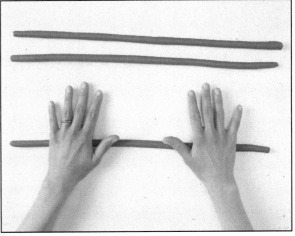

2 Former des colombins avec un mouvement de va-et-vient
en les modelant avec les paumes des mains et en tenant
les doigts ouverts. Préparer les colombins nécessaires et
les laisser couverts entre deux feuilles de cellophane.

Marquer la forme de la base
en utilisant un objet rond
4 comme guide.

3 Etendre une base avec le rouleau.

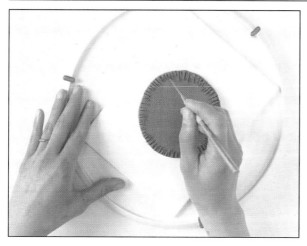

5 Placer la base d'argile sur un carreau de terre cuite et transférer le tout sur la tournette. Faire de petites stries avec le poinçon sur le bord de la base.

7 Poser le premier colombin.

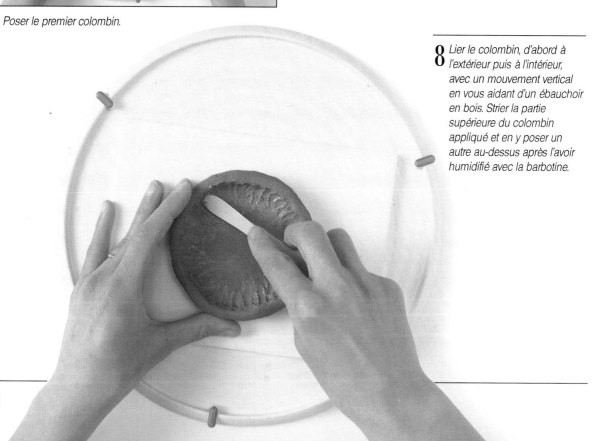

6 Humidifier les zones striées avec la barbotine.

8 Lier le colombin, d'abord à l'extérieur puis à l'intérieur, avec un mouvement vertical en vous aidant d'un ébauchoir en bois. Strier la partie supérieure du colombin appliqué et en y poser un autre au-dessus après l'avoir humidifié avec la barbotine.

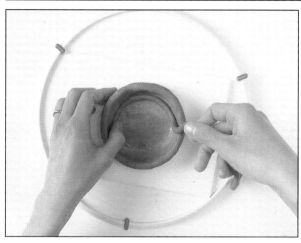

9 Former un colombin plus fin qui sera appelé «colombin de renforcement» et le lier à l'intérieur, à la jonction entre la paroi et la base. Bien lier, d'abord avec l'ébauchoir ensuite avec les doigts pour donner une forme arrondie.

10 A l'aide d'une éponge humide bien aplanir ce colombin de renforcement jusqu'à obtenir une jonction parfaitement courbe et soignée.

11 Procéder en rajoutant colombin sur colombin jusqu'à obtenir la hauteur désirée. Protéger la paroi externe avec la main pendant que l'on travaille l'intérieur et vice-versa, afin d'éviter des déformations.

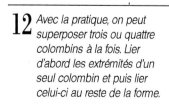

12 Avec la pratique, on peut superposer trois ou quattre colombins à la fois. Lier d'abord les extrémités d'un seul colombin et puis lier celui-ci au reste de la forme.

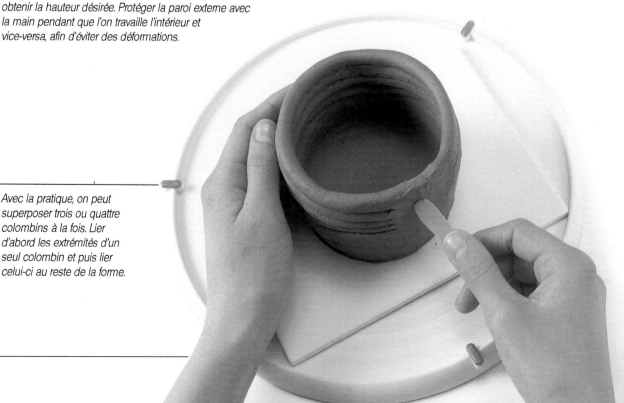

JATTE

L'intérieur de cette jatte, fabriquée avec la technique du colombin, a été émaillé avec un émail métallique doré, alors que les bords et les parties inférieures l'ont été avec un émail bleu mat.

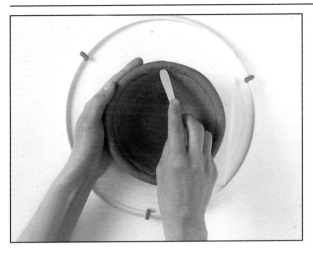

1 *Procéder comme dans la fabrication du vase à cylindre jusqu'au numéro 2 en soignant particulièrement la courbe parfaite entre la base et la paroi après avoir rajouté le colombin de renforcement.*
Unir les colombins successifs l'un après l'autre en les déplaçant légèrement vers l'extérieur. Evitez d'affiner trop la paroi: lorsque la forme est plus fine et plus large, il est plus difficile de procéder.

2 *Petit à petit, au cours du travail, passer l'estèque en caoutchouc pour polir et uniformiser la paroi.*

3 *Passer une éponge humide pour lisser la forme.*

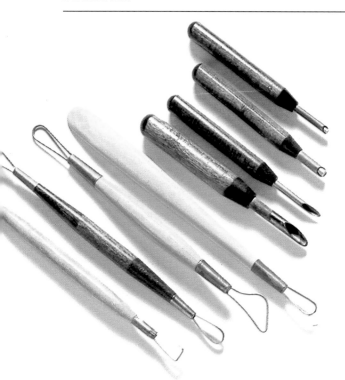

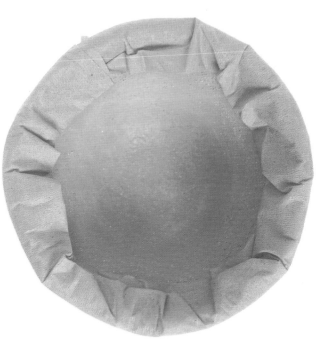

Certaines formes apparaissent plus harmonieuses si l'on ôte de l'argile de la base en se servant d'une mirette.

4

5 Si à un certain moment de la fabrication d'un objet, l'argile ne tient plus, placer une bande d'essuie-tout humide autour de la partie supérieure et couvrir avec une feuille de plastique. Laisser sécher jusqu'à ce que la partie inférieure tienne toute seule. Continuer ensuite avec les colombins.

6 *Cette forme est amplifiée avec les colombins en laissant visibles les signes de travail. Lorsqu'une forme devient très large, il peut être nécessaire de lier deux colombins en faisant attention de bien unir les jonctions.*

Parfois, lorsqu'on fabrique une forme qui s'élargit, il est nécessaire de lui donner un support. Je pense que la solution la meilleure est d'utiliser l'argile en formant de petites "tours" auxquelles on peut donner n'importe quelle forme et hauteur; elles ont l'avantage de se retirer en même temps que l'objet car elles sont du même matériel, de plus elles ne se collent pas car elles sont sans barbotine. Plus
7 *l'objet est haut, plus elles doivent être larges.*

8 *En voulant suivre une forme bien précise, découper d'abord une silhouette en papier. Lorsque la forme est définie, la découper sur un carton. Utiliser ce gabarit comme guide pour fabriquer l'objet de la forme désirée.*

LA BANDE

Cette technique est plus rapide que le colombin, mais en même temps elle est moins flexible. Il faut être sûr de «lier» très bien les bandes entre elles et de faire une finition parfaite durant le travail. Vérifier le stade de consistance du cuir et le séchage complet avant la première cuisson, autrement les bandes se séparent pendant la cuisson. C'est une technique que je considère très pratique, surtout lorsqu'elle est utilisée à l'intérieur d'un support comme nous le verrons dans la fabrication d'une jatte aux pages suivantes.

Pour fabriquer notre vase (voir p. 34), les bandes ont été appliquées directement l'une sur l'autre et la paroi a été lissée. Dans la fabrication de la jatte (voir p. 36), au contraire, les bandes ont été laissées visibles. Dans ce cas, les bandes sont d'une certaine épaisseur mais le travail sera aussi facile en utilisant des bandes plus fines.

La fabrication du vase est plus compliquée et lente que celle de la jatte car il n'a pas de support. Le vase se prête à n'importe quel type de décoration, alors que pour la jatte est indiqué l'utilisation de glaçures ou émaux pour mettre en évidence la fabrication. L'outillage est le même que pour le colombin, en rajoutant un rouleau en bois et une série de réglettes en bois d'épaisseurs différentes.

VASE OVALE

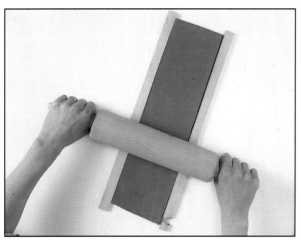

1 *Aplanir une plaque à l'aide de deux réglettes en bois. Les deux extrémités du rouleau en bois doivent toujours reposer sur les réglettes pour assurer l'uniformité de l'épaisseur qui ne doit pas être inférieure à 5 mm, car les bandes d'argile doivent être placées l'une sur l'autre durant la fabrication de l'objet.*

2 *Avec une réglette comme guide, découper des bandes de longueur et de hauteur uniformes de façon à procéder plus facilement.*

Préparer une base comme pour le vase à cylindre à colombin et continuer de la même façon en se rappelant d'appliquer un colombin de renforcement entre la base et la première bande. Poser chaque bande directement sur la précédente après avoir légèrement strié et passé la barbotine. Lier toujours au départ l'extrémité de la bande même. Il est préférable d'alterner la position du point de rencontre des extrémités des bandes au fur et à mesure
3 *que l'on monte.*

4 Battre légèrement avec le dos d'une cuillère en bois pour rendre les bandes compactes et pour s'assurer que les parois soient droites. Cette opération peut se faire avec n'importe quelle forme qui se développe en hauteur.

5 Lisser avec l'estèque en caoutchouc.

JATTE A BANDES

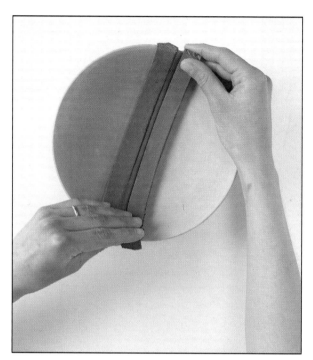

1 *Choisir un support de préférence en terre cuite. Etendre une plaque comme vous l'avez fait pour le vase à cylindre précédent. Poser les deux premières bandes en laissant un peu d'espace entre l'une et l'autre.*

2 *Humidifier les deux bandes avec la barbotine.*

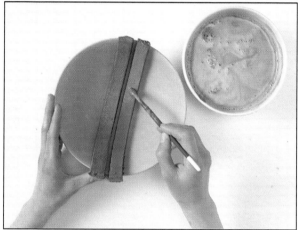

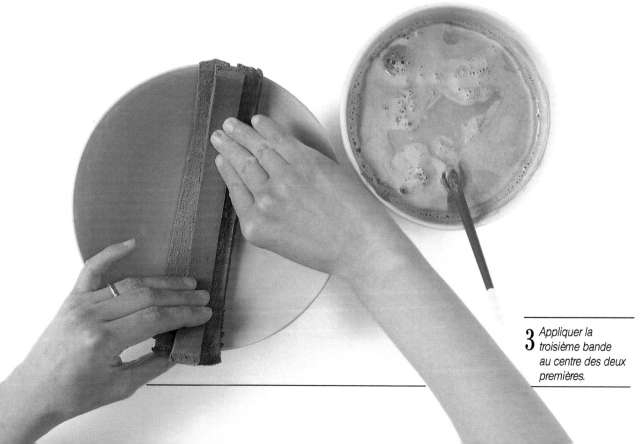

3 *Appliquer la troisième bande au centre des deux premières.*

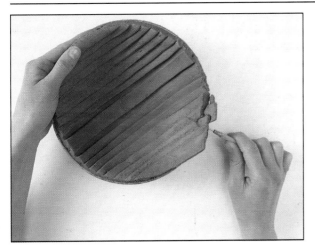

4 Procéder petit à petit en superposant une bande sur l'autre après avoir étalé la barbotine. Exercer une légère pression pour être sûrs que les bandes se fixent bien l'une sur l'autre sans bulles d'air.

Remarquer qu'avec ce procédé, on ne strie pas les bords à unir. A la fin de la fabrication, découper avec le poinçon toute l'argile qui excède.

Terminer en passant la barbotine sur toute la jatte, ce qui permet une bonne jonction.

5

LA PLAQUE

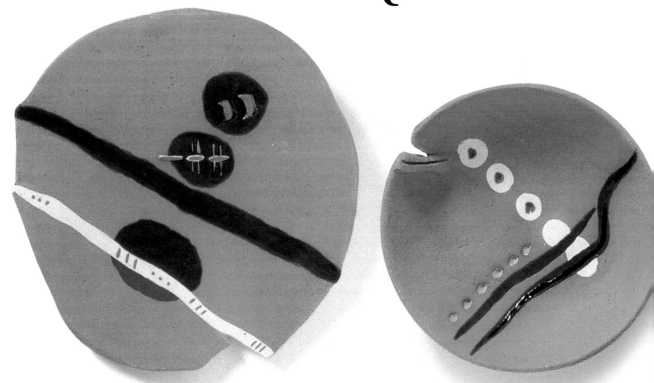

La technique du modelage à la plaque présente plusieurs possibilités de fabrication. Il est important de ne pas oublier le support, puisqu'il y a une majeure quantité d'argile à manipuler dans un seul objet, contrairement au colombin et à la bande.

La plaque est idéale pour créer des objets de formes aussi bien régulières qu'irrégulières, en utilisant la qualité d'une «feuille» d'argile qui peut être courbée, pliée, collée à un autre morceau d'argile. C'est la technique la plus adaptée au modelage de plats dans des moules et des formes déjà définies. Cette technique nécessite une certaine maîtrise dans la «manipulation» des feuilles d'argile. Vous pouvez vous aider en étendant la plaque sur une feuille de papier sulfurisé ou de cellophane. Mais, si vous devez transférer la plaque à l'intérieur d'un support, le papier ou le cellophane laisseront des signes dans l'argile; dans ce cas, il est préférable de commencer à travailler avec de petites plaques jusqu'à ce que vous soyez plus habiles.

L'outillage de base est équivalent à celui utilisé dans les projets précédents. On peut adapter à cette technique de très nombreuses applications décoratives: rajouts d'argile, décorations gravées, engobes, glaçures, émaux, majolique, petit feu, etc.

L'UTILISATION DES SUPPORTS

Certaines techniques comme la plaque ont besoin de supports car l'argile plastique n'a pas une consistance ferme. Le support idéal est une forme en terre cuite (biscuit non-émaillé) car elle est poreuse et l'argile plastique ne s'y colle pas. On peut utiliser n'importe quelle forme qui ne rentre pas sur elle-même, sinon il sera impossible d'ôter le morceau de l'intérieur.

Chacun peut fabriquer avec le colombin ou avec d'autres techniques ses supports en argile en se rappelant du retrait: le support fabriqué sera plus petit une fois cuit. On peut utiliser également des formes en plastique, en verre, en céramique émaillée, etc. N'importe quel support non-poreux doit être doublé avec des morceaux de papier ou de cellophane, pour éviter que l'argile fraîche ne se colle. Les petits récipients en polystyrène sont très utiles car l'argile ne s'y colle pas. On peut les utiliser pour la fabrication des dessous de vases, des petits plateaux, etc. Vu qu'ils sont bas il est très facile de s'en servir pour le modelage à la plaque. Lorsque vous étendez une plaque, retournez-la souvent pour éviter qu'elle ne se colle au plan de travail.

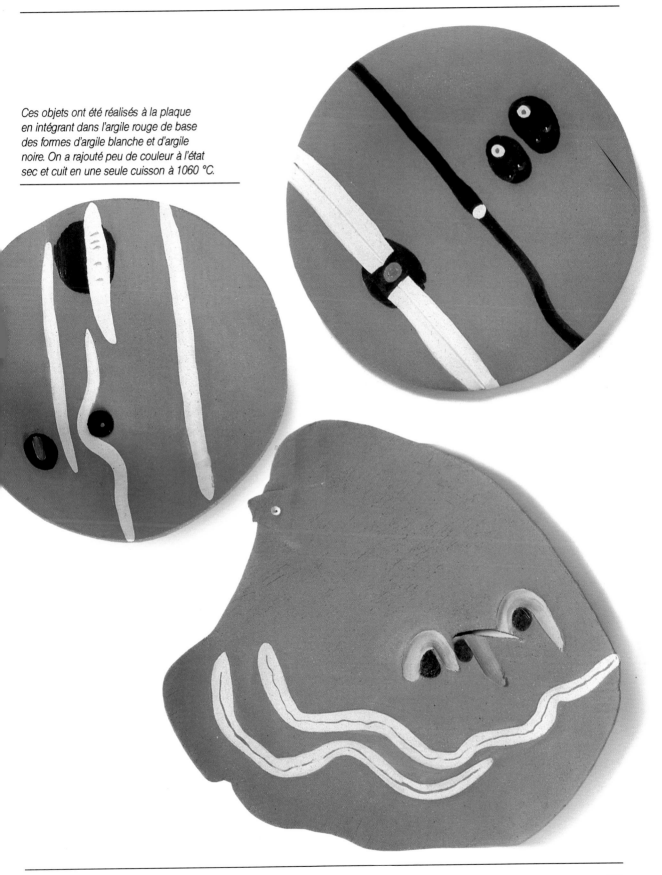

Ces objets ont été réalisés à la plaque en intégrant dans l'argile rouge de base des formes d'argile blanche et d'argile noire. On a rajouté peu de couleur à l'état sec et cuit en une seule cuisson à 1060 °C.

PLAT A LA PLAQUE
AVEC RAJOUT DE FORMES

Le plat jaune a été décoré
avec un émail coloré, les
étoiles avec un sous-émail
et une glaçure transparente.
Le plat marron a été décoré
avec un émail aux effets
spéciaux et les étoiles
avec un émail doré.

Plats décorés après la première cuisson. Sur l'argile sèche des petites étoiles, une couche de sous-émail blanc a été appliquée sur laquelle ont été peints des motifs floraux.

1 Etendre une plaque d'une épaisseur uniforme et, en utilisant un plat comme gabarit, découper autour de la circonférence.

2 Etendre la plaque à l'intérieur de la forme.

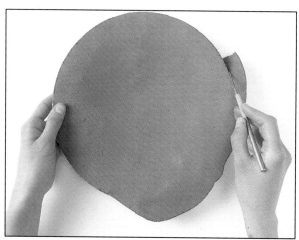

Découper des formes d'une autre plaque. Dans ce cas un petit moule à biscuits a été utilisé. On peut obtenir également n'importe quelle forme à main levée.

3 Eliminer l'excès d'argile en se servant du poinçon appuyé sur le bord du plat.

4

5 Oter l'argile qui excède autour des formes.

6 Etaler beaucoup de barbotine à l'arrière des formes à appliquer au plat.

7 Appliquer les formes sur le plat et étaler encore de la barbotine sur les bords des étoiles.

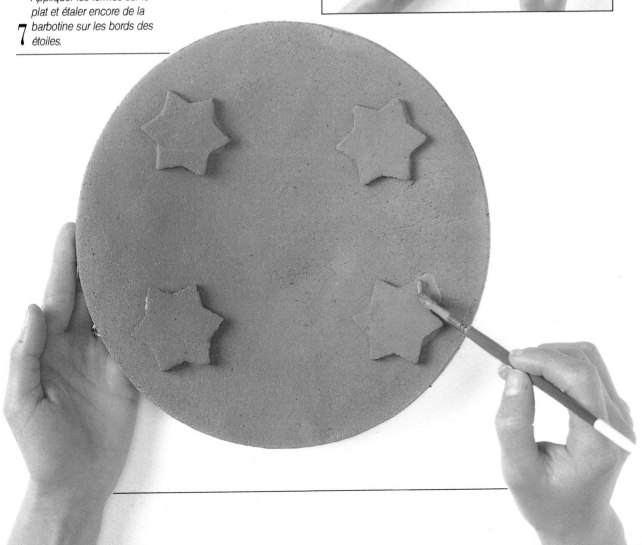

JATTE A LA PLAQUE

La même forme décorée de trois façons différentes:
- blanche: glaçure transparente craquelée sur un sous-émail blanc;
- vert: superposition d'un émail à effet spécial sur un émail turquoise;
- bleu: glaçure bleue tamponnée, sur un fond de sous-émail blanc vitrifié et recuit.

1 *Choisir le support et en mesurer la profondeur.*

2 *Etendre une plaque et la poser à l'intérieur du support.*

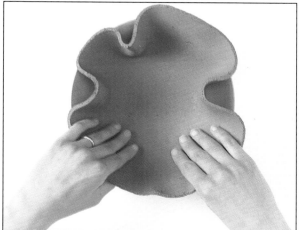

Etaler la plaque à l'intérieur du support, avec le dos de la main faites-la bien adhérer. En utilisant le dos de la main plutôt que les doigts, on **3** *marque moins l'argile.*

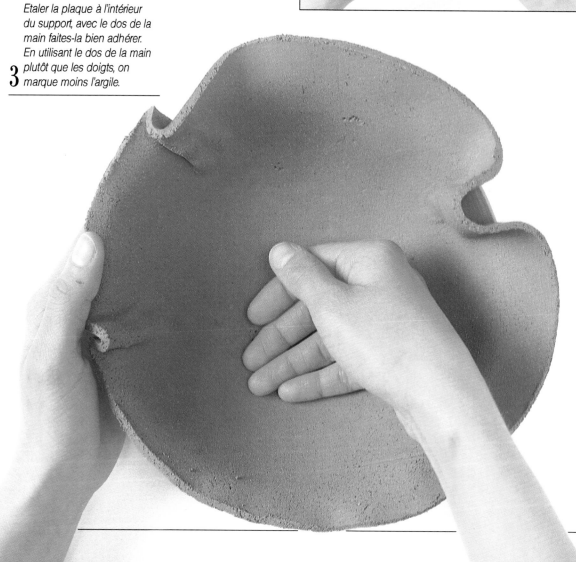

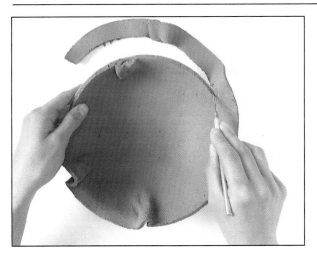

4 Découper l'excès d'argile avec le poinçon appuyé sur le bord du support.

5 A l'aide d'une estèque en caoutchouc, ôter l'argile en excès à l'intérieur du support.

6 Uniformiser le tout avec une éponge humide.

7 Si on le désire, on peut graver le bord ou n'importe quelle autre partie de la jatte. Un ébauchoir en bois est très utile lorsque l'argile est fraîche. Lorsqu'elle commencera à sécher, un outil en métal fonctionnera mieux pour marquer, graver ou ôter l'argile.

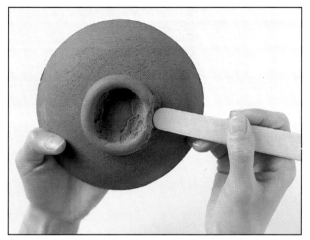

8 Si l'on désire rajouter un «talon» sous une forme construite à l'intérieur d'un support, il faut attendre que l'argile soit suffisament sèche et puisse être ôtée du support sans se déformer. Rajouter un colombin au centre, après avoir gravé un petit cercle et étalé de la barbotine. Avec l'ébauchoir faire adhérer le colombin.

9 Eponger pour rendre la jonction uniforme et invisible.

Soulevée sur le «talon», la jatte
a un autre aspect.
On peut procéder de la même
10 manière avec un plat ou
n'importe quelle autre forme.

La jatte a été émaillée premièrement
avec un émail noir et ensuite avec une
légère couche d'émail blanc qui
donne un effet de cuisson particulier.

PLAQUES

Il sera arrivé à tous d'observer ces simples plaques de céramique qui indiquent, sur nos maisons, le nom du propriétaire. Les plaques produites industriellement offrent la possibilité d'écrire seulement le nom et de rajouter quelque dessin. Pour ceux qui aiment manipuler l'argile et qui ont au moins étudiés les projets précédents – encore mieux s'ils en ont essayé un ou deux – voici une idée pour réaliser soi-même une plaque originale pour la porte de sa maison en ville ou à la campagne. Si vous essayez, vous verrez que vos amis vous demanderons bientôt d'en travailler une pour chez eux. Comme d'habitude, je vous conseille de commencer par un exemple simple. Ici aussi, nous trouvons des éléments du colombin.

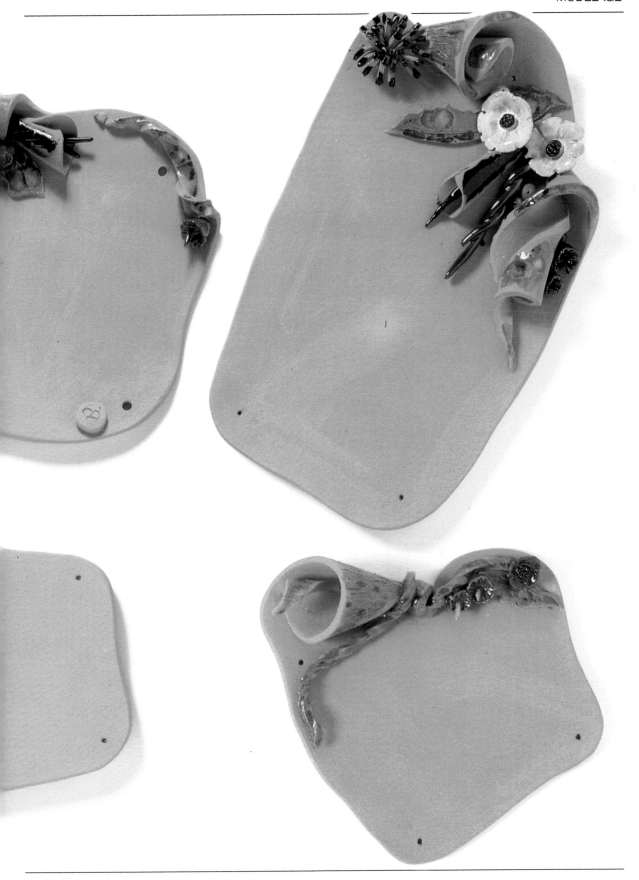

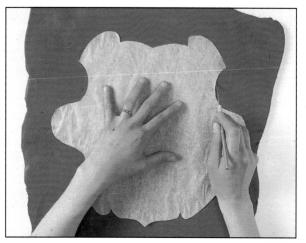

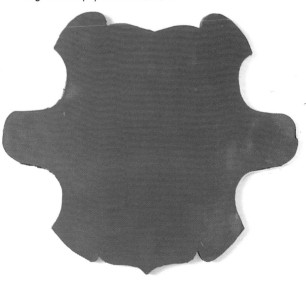

1 Découper une forme d'une plaque en utilisant un gabarit en papier ou en carton.

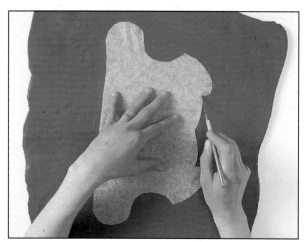

2 Procéder de la même manière en découpant une forme plus petite qui sera appuyée en haut.

3 Strier la partie supérieure de la plaque et l'enduire de barbotine.

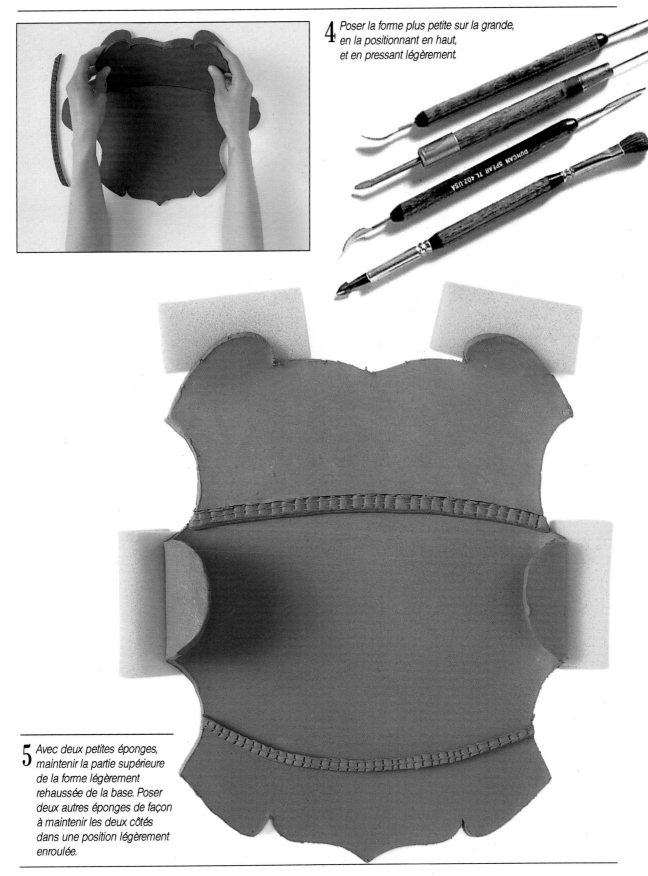

4 Poser la forme plus petite sur la grande, en la positionnant en haut, et en pressant légèrement.

5 Avec deux petites éponges, maintenir la partie supérieure de la forme légèrement rehaussée de la base. Poser deux autres éponges de façon à maintenir les deux côtés dans une position légèrement enroulée.

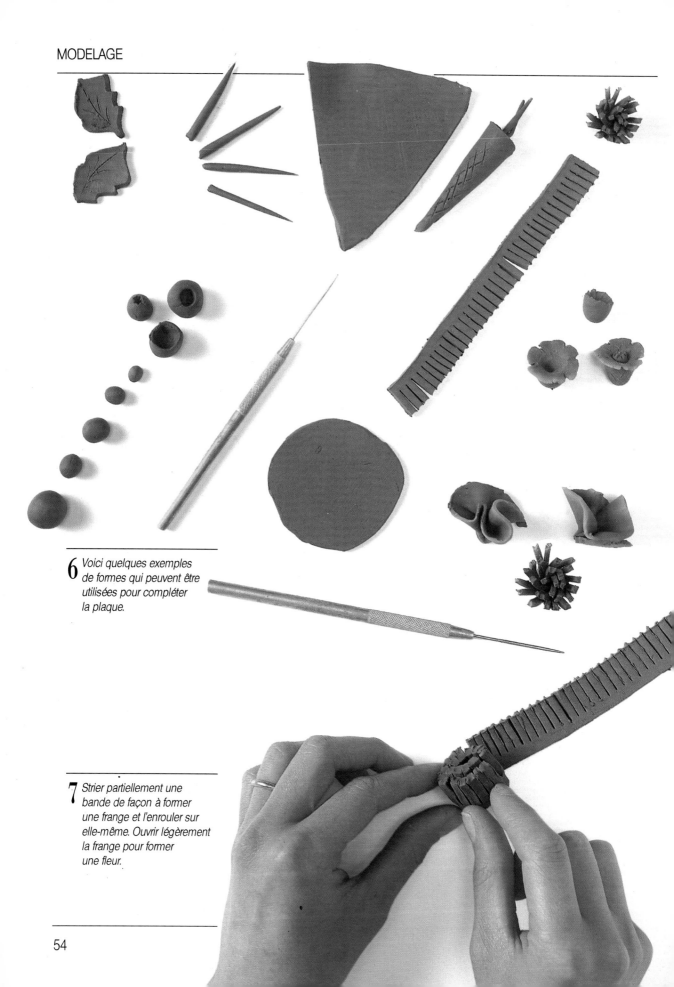

6 Voici quelques exemples de formes qui peuvent être utilisées pour compléter la plaque.

7 Strier partiellement une bande de façon à former une frange et l'enrouler sur elle-même. Ouvrir légèrement la frange pour former une fleur.

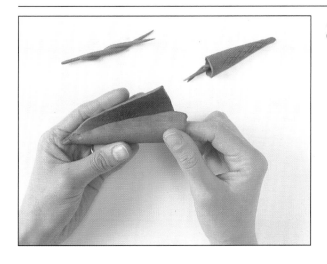

8 *Refermer le triangle sur lui-même en formant un cône et en y insérant deux petits colombins enroulés ensemble. Se rappeler d'utiliser un petit peu de barbotine.*

9 *Une plaque achevée avec tous ses rajouts décoratifs.*

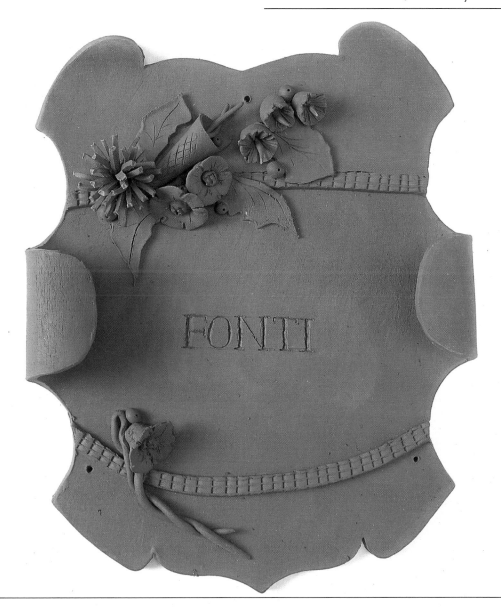

VASE A LA PLAQUE

Voici la façon la plus rapide de fabriquer un vase. La seule difficulté est d'étendre et découper la plaque dans la juste dimension. Comme vous pouvez le voir dans les différents exemples du projet fini, la forme a été enrichie par des griffures dans l'argile à la fin de la fabrication. Ces griffures ont suggéré différents types d'émaillage: sur l'un, l'argile a été laissé visible, l'autre a été émaillé ton sur ton, alors que le vase blanc (voir p. 59) a été décoré avec deux types d'émail blanc: opaque et légèrement rugueux sur la partie inférieure, blanc majolique sur la partie supérieure. Si on l'avait voulu, sur cette dernière, on aurait pu faire également un dessin en majolique.

Vases émaillés avec différents émaux sans aucune superposition. Dans ce cas, a été utilisée une bouteille carrée; on peut utiliser d'autres types de supports, par exemple, le carton ondulé se prête très bien à une forme cylindrique. Il est important de laisser une partie en haut pour enfiler la main, pour faire sortir le support avant que l'argile ne se sèche trop. La bouteille est particulièrement indiquée pour les premières expériences car elle est rigide et facile à enlever.

1 Couvrir la bouteille avec une feuille de cellophane en la faisant bien adhérer sur le fond et sur les parois à l'aide du papier adhésif crêpé.

2 Envelopper la bouteille avec plusieurs papiers journaux. Vous devez créer un «coussin en papier» entre la bouteille et l'argile, de façon à pouvoir ôter la bouteille avec facilité, dès que l'argile se tient debout de soi-même.

3 D'une plaque découper une base qui soit plus large que la base de la bouteille pour pouvoir contenir également l'épaisseur d'argile qui enveloppera la bouteille. Tracer avec le poinçon le périmètre de la bouteille sur la base de l'argile.

4 Poser la bouteille enveloppée sur une plaque étendue et découpée de façon à couvrir amplement le périmètre de la bouteille.

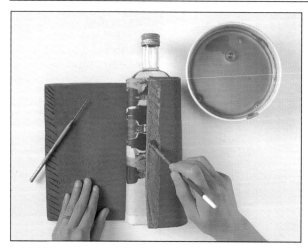

5 Strier de poinçon et enduire de barbotine dense les deux côtés qui devront être unis.

6 D'abord, envelopper sur la bouteille le côté le plus court et puis superposer le plus long.

7 Unir et bien presser avec la paume de la main le côté supérieur.

Poser la bouteille recouverte d'argile sur la base déjà enduite de barbotine. Avec un ébauchoir en bois, pousser l'argile de **8** la base vers la bouteille, en créant ainsi une première jonction. On formera un sillon entre la bouteille et la base.

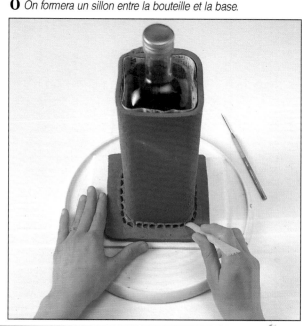

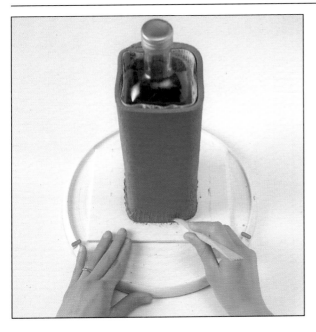

9 *Oter avec le poinçon l'excès d'argile à l'extérieur du sillon. Pousser de nouveau l'argile restante vers la paroi. Il est important de rappeler que dans cette fabrication, il n'y a pas de colombin de renforcement et donc il est fondamental de bien lier la base.*

10 *Maintenant, avec l'estèque en caoutchouc, bien étaler le côté externe afin que la paroi reste lisse. Durant cette phase, les parois ont été lissées de façon uniforme.*

11 *Pour rendre ce vase carré plus intéressant, aussi bien pour la forme que pour sa décoration éventuelle, sur l'argile fraîche ont été pratiquées des décorations gravées avec un ébauchoir en bois pointu.*

Le vase blanc a été décoré avec deux types d'émail blanc, l'un opaque et légèrement rugueux sur la partie inférieure, l'autre blanc majolique sur la partie supérieure. Sur cette dernière, on aurait pu réaliser également un dessin de majolique.

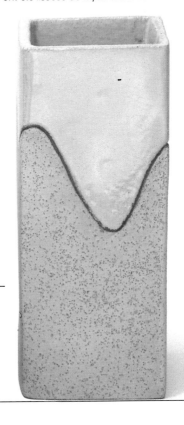

COLLIERS

L'argile, pour sa ductilité, est le matériau idéal pour des créations originales. De plus, en colorant vos travaux vous aurez une excellente opportunité pour faire des essais de couleur sur des objets de dimensions réduites. Si vous n'avez pas le courage d'essayer avec les projets précédents à la plaque, essayez avec ces objets de forme réduite et d'éxécution facile.

Ce chapitre vous montre également comment imprimer ou graver dans l'argile et comment ôter de la couleur d'un dessin imprimé pour le faire ressortir. Comme vous pouvez le voir, notre colombin apparaît également ici, combiné avec des petites formes modelées à la plaque: l'effet qui en résulte est plus riche que si on avait utilisé seulement le colombin ou seulement la plaque.

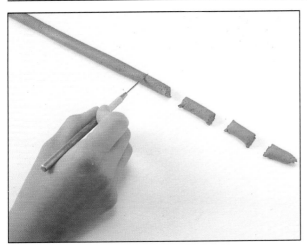

1 *Réaliser un colombin de l'épaisseur désirée et le découper de différentes longueurs.*

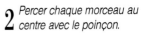

2 *Percer chaque morceau au centre avec le poinçon.*

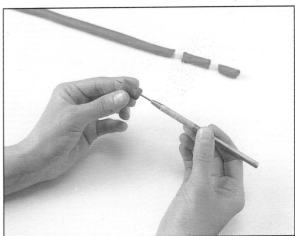

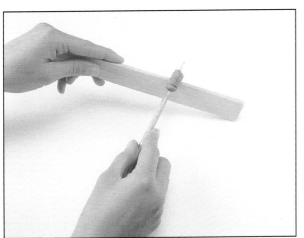

3 *Pour obtenir des rayures, passer le morceau sur le bord d'un bâtonnet en bois.*

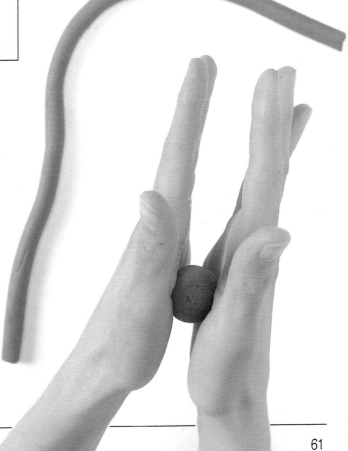

Pour faire de petites perles rondes ou ovales, faire une boule d'argile entre les paumes de la main. Si l'on veut, les perles peuvent 4 *également être gravées.*

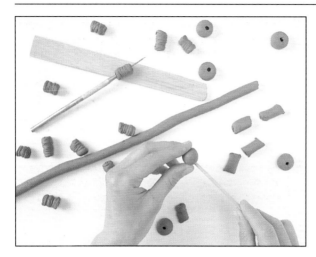

5 Trouer également les perles en se rappelant que si après la première cuisson elles doivent être émaillées elles doivent être enfilées sur un fil pour la cuisson.

6 Avec l'aide du rouleau en bois, vous pouvez «imprimer» dans l'argile les matériaux les plus variés.

7 Oter avec beaucoup de soin le matériau «imprimé».

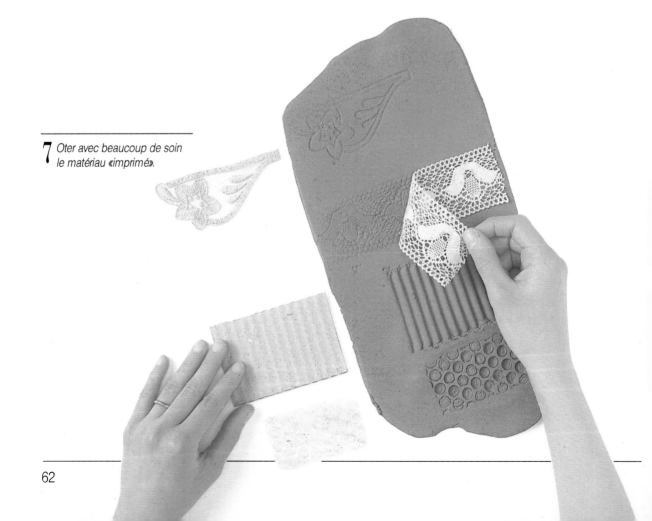

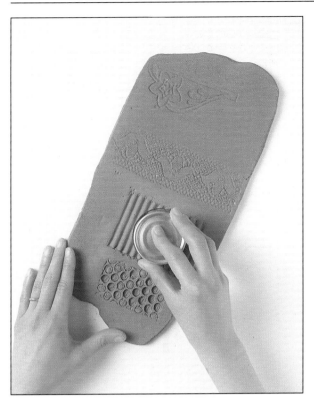

8 *Pour découper un médaillon, on peut se servir d'objets variés comme, par exemple, bouchons, couvercles, petites boîtes, etc. ou bien on peut réaliser des formes d'une grande fantaisie avec le poinçon.*

9 *Ici, nous avons utilisé des formes personnelles pour créer des médaillons. Utiliser les mêmes techniques lorsqu'on veut rajouter une forme sur un vase, un plat ou une jatte.*

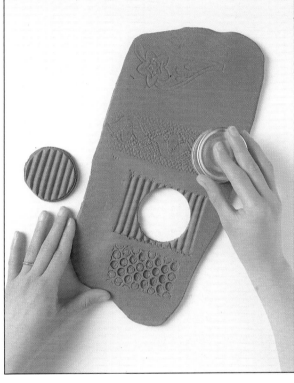

10 *Pour mettre en évidence un dessin, appliquer un sous-émail sur le biscuit. Lorsqu'il est sec, ôter la partie restant en surface avec une éponge à peine humide. Appliquer la glaçure transparente et passer à la deuxième cuisson.*

LE BAS-RELIEF

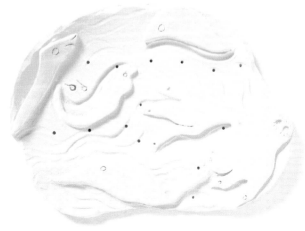

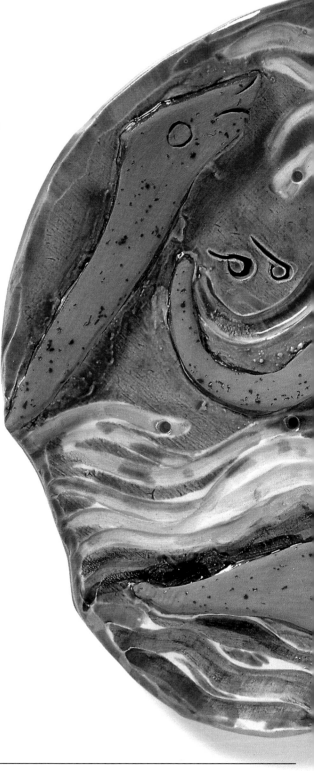

A la différence des formes creuses jusqu'ici présentées, où il est possible de travailler et d'observer chaque surface, le bas-relief est un objet pensé pour être pendu ou inséré dans le mur. On part donc d'une surface lisse, en donnant une certaine plasticité à un seul côté. Les bas-reliefs représentent une évolution naturelle des graffiti. Ils ont été utilisés dans le passé pour représenter des thèmes d'inspiration religieuse ou profane, des scènes de vie quotidienne, aux épisodes de la vie de Cour, à la représentation d'ateliers. Alors que le bas-relief est une plaque où l'on grave, on strie et on dessine des formes, c'est-à-dire on ôte du matériel pour donner une forme, dans le haut-relief, on ajoute à la plaque des éléments variés comme des formes découpées, des colombins, des bandes, etc. Evidemment, on peut combiner haut-relief et bas-relief comme cela a été fait dans nos exemples. Il existe plusieurs façons de créer la base d'un bas-relief. Beaucoup appliquent des morceaux d'argile l'un au-dessus de l'autre, mais ce système est dangereux car il est très facile de laisser des bulles d'air, avec le résultat que le travail ne dépasse pas la cuisson. D'après mon expérience, le meilleur moyen pour éviter qu'il puisse se rompre pendant la cuisson est celui d'étaler une plaque haute d'1 cm, ce qui permet d'emporter de l'argile et en même temps de rajouter des formes. Ce type de fabrication doit sécher très lentement et être couvert avec du cellophane durant le séchage, autrement l'argile risque de se déformer et de présenter des fissures. Le bas-relief peut être laissé sans décoration surtout si l'on utilise l'argile rouge ou peut être décoré avec des engobes, des émaux, etc.

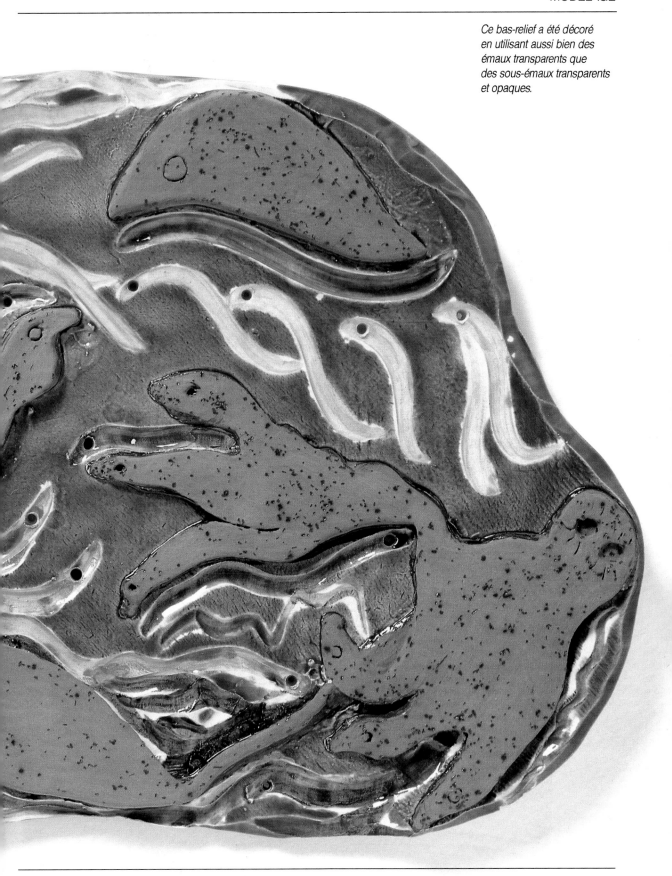

Ce bas-relief a été décoré
en utilisant aussi bien des
émaux transparents que
des sous-émaux transparents
et opaques.

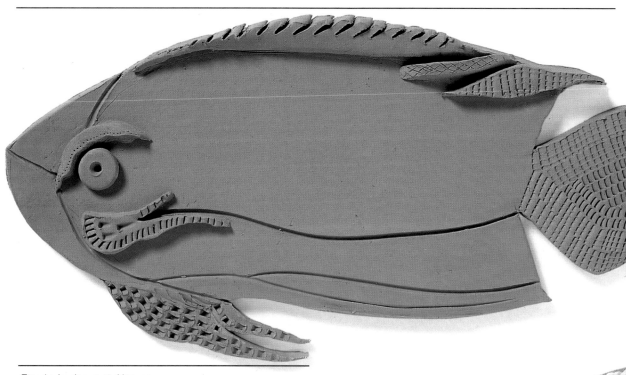

Etendre la plaque et découper la forme désirée. Avec un outil en bois ou en métal, ôter l'argile nécessaire pour créer le dessin voulu; si l'on désire ajouter des formes, se rappeler d'enduire la barbotine avant de les appliquer.

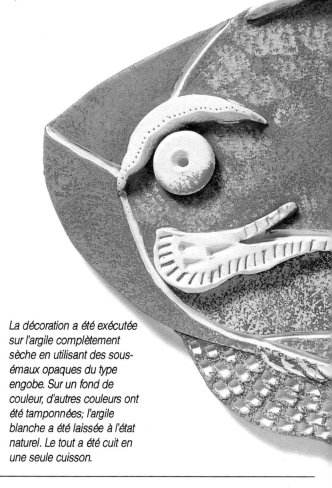

La décoration a été exécutée sur l'argile complètement sèche en utilisant des sous-émaux opaques du type engobe. Sur un fond de couleur, d'autres couleurs ont été tamponnées; l'argile blanche a été laissée à l'état naturel. Le tout a été cuit en une seule cuisson.

LA PLAQUE RIGIDE

C'est une technique longue et laborieuse qui requiert un travail en deux étapes: en effet, au temps normal de travail, il faut rajouter le temps nécessaire pour laisser légèrement sécher les morceaux à assembler. Cela demande également une précision particulière dans toutes les phases d'exécution, car les morceaux doivent s'adapter parfaitement l'un à l'autre.

Les travaux à la plaque rigide se prêtent à tous les types de décoration. Parfois, un objet peut être laissé sans décoration, si la forme même est déjà d'une certaine richesse, comme nous le voyons dans la boîte perforée au centre: les ouvertures ont été pratiquées dans l'argile encore fraîche et celles du couvercle ont été étudiées de façon à servir de «poignée». Je désire rappeler, à ce propos, que les ouvertures peuvent être pratiquées dans n'importe quel ouvrage. Selon la forme, on peut les réaliser à la fin du travail ou dès que l'argile commence à sécher. Cette technique s'adapte à la fabrication des boîtes, des vases et d'autres formes aux parois droites qui peuvent être assemblées dès que l'argile devient moins plastique.

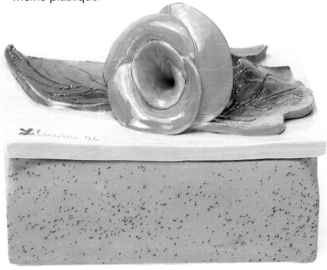

La base a été émaillée, alors que le couvercle a été décoré avec des sous-émaux transparents et une glaçure transparente. A remarquer la poignée en forme de fleur.

Ci-contre: la décoration des boîtes utilise la «réserve» pour isoler une partie du biscuit et en même temps les différents émaux qui se superposent.
Ci-dessous: boîtes réalisées à la plaque rigide après la première cuisson.

BOITE

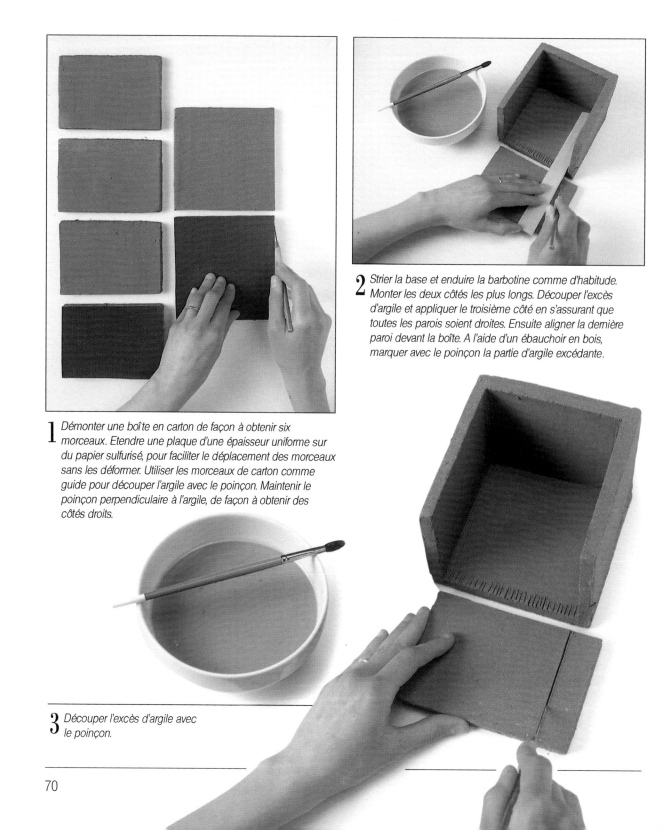

1 Démonter une boîte en carton de façon à obtenir six morceaux. Etendre une plaque d'une épaisseur uniforme sur du papier sulfurisé, pour faciliter le déplacement des morceaux sans les déformer. Utiliser les morceaux de carton comme guide pour découper l'argile avec le poinçon. Maintenir le poinçon perpendiculaire à l'argile, de façon à obtenir des côtés droits.

2 Strier la base et enduire la barbotine comme d'habitude. Monter les deux côtés les plus longs. Découper l'excès d'argile et appliquer le troisième côté en s'assurant que toutes les parois soient droites. Ensuite aligner la dernière paroi devant la boîte. A l'aide d'un ébauchoir en bois, marquer avec le poinçon la partie d'argile excédante.

3 Découper l'excès d'argile avec le poinçon.

4 *Monter le dernier côté.*

Bien fermer les jointures de l'extérieur. Appliquer un petit colombin de renforcement le long de

5 *toutes les jointures internes pour renforcer la structure.*

Sur le dernier morceau d'argile, le couvercle, appliquer quatre petites boules d'argile dans la partie interne pour éviter que

6 *le couvercle ne glisse.*

7 *Appliquer la poignée. Il est préférable d'en préparer deux ou trois de formes différentes, de façon à avoir un choix plus ample, lorsque la boîte sera terminée.*
Ce type de fabrication doit sécher très lentement, avec le couvercle inséré. Le couvercle reste sur la boîte même durant la première cuisson.

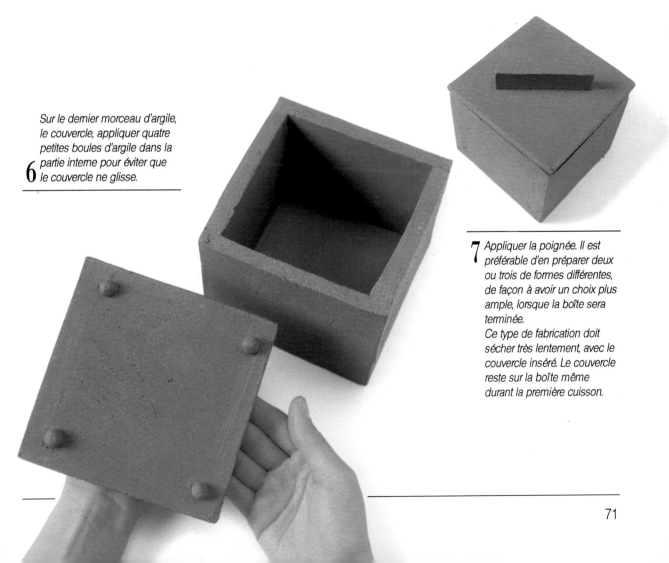

CADRE A LA PLAQUE

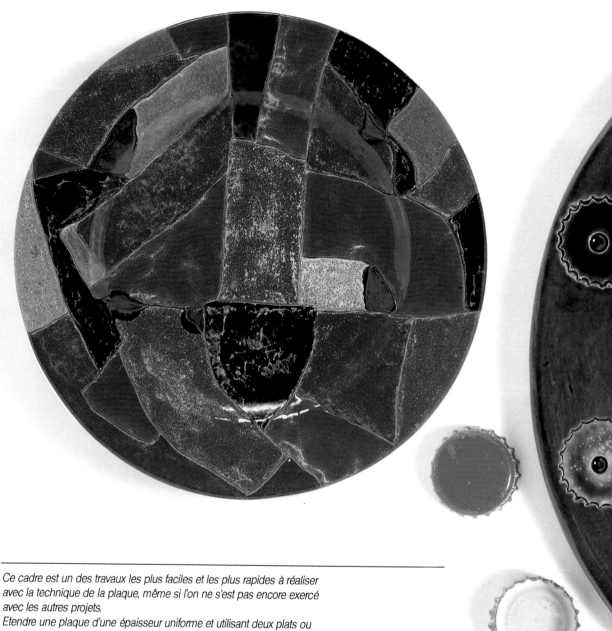

Ce cadre est un des travaux les plus faciles et les plus rapides à réaliser avec la technique de la plaque, même si l'on ne s'est pas encore exercé avec les autres projets.

Etendre une plaque d'une épaisseur uniforme et utilisant deux plats ou deux disques d'un diamètre différent, découper d'abord le contour externe. Avec le second plat plus petit, découper le cercle interne.

Ici, j'ai utilisé des bouchons de bouteille pour graver un motif, à l'intérieur duquel j'ai imprimé un petit cercle avec la pointe d'un crayon.

La décoration a été faite avec un glaçure transparente étendue sur toute la surface, en superposant un émail blanc et un bleu sombre dans les cercles.

Cette forme se prête très bien à être également décorée en majolique et à petit feu.

Vous devez laisser sécher le cadre entre deux morceaux de bois pour éviter qu'il ne se déforme durant le séchage.

PETITE ARMOIRE

Cette petite armoire a été réalisée par Rosmunda Imoti, auteur de plusieurs livres sur la pâte à sel. Elle a été fabriquée en argile blanche avec des plaques assez fines. L'assemblage a été fait dès que les plaques ont acquis la consistance du cuir.

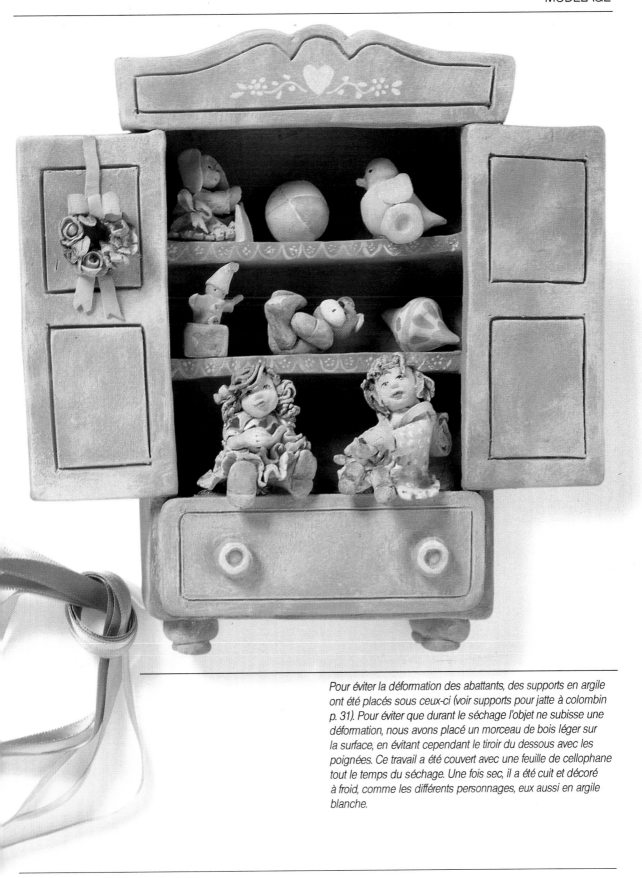

Pour éviter la déformation des abattants, des supports en argile ont été placés sous ceux-ci (voir supports pour jatte à colombin p. 31). Pour éviter que durant le séchage l'objet ne subisse une déformation, nous avons placé un morceau de bois léger sur la surface, en évitant cependant le tiroir du dessous avec les poignées. Ce travail a été couvert avec une feuille de cellophane tout le temps du séchage. Une fois sec, il a été cuit et décoré à froid, comme les différents personnages, eux aussi en argile blanche.

BOULE OU «PINCH»

Cette technique consiste à «pincer» (*pinch*, en anglais) l'argile avec le pouce à l'intérieur d'une forme, et l'index et le majeur à l'extérieur. Elle est surtout adaptée pour de petites formes, très délicates, comme notre exemple, ou bien plus consistantes comme certaines tasses de thé japonaises.
Si vous voulez commencer avec la technique raku, cette fabrication vous donnera la meilleure opportunité pour voir si l'argile que vous avez choisie dépasse le choc thermique et en même temps vous permettra de réaliser les premières expériences avec les émaux.
La technique même est fondamentale pour apprendre les propriétés des différents types d'argile, c'est-à-dire leur plasticité et également la perception tactile de vos doigts dans le modelage et la pression que vous exercez.
Ne vous arrêtez pas au premier objet car plus d'objets se réalisent avec cette technique rapide et plus il sera facile et naturel d'en fabriquer d'autres.

Cet objet très délicat et en même temps très élaboré a été réalisé par Rosmunda Imoti. Après avoir formé la boule de base, elle a crée, avec des bandes fines et irrégulières, des «rosettes» qu'elle a rajouté à l'intérieur et à l'extérieur à l'aide d'un peu de barbotine. Ici, nous voyons l'objet après la première et la seconde cuisson décoré avec des émaux.

1 Former une boule que vous pouvez tenir dans la paume de la main et la percer avec le pouce jusqu'au fond, sans la trouer.

Pincer et presser délicatement l'argile de façon rythmique et circulaire du bas vers le haut jusqu'à ce que vous ayiez défini la forme et les parois qui seront d'une

2 épaisseur assez uniforme.

3 Si on le désire, même à cette forme on peut rajouter une base comme nous l'avons fait pour la jatte fabriquée à la plaque.

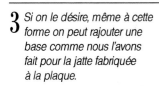

SECHAGE

La phase de séchage est l'une des plus délicates et importantes. Souvent, dans la hâte on n'attend pas le temps nécessaire (entre 2 et 3 semaines ou plus), on ne maintient pas le travail couvert d'une feuille de cellophane et on ne le laisse pas sécher lentement loin de sources de chaleur et de courants d'air, ainsi il est très probable que l'objet se déforme et que des fissures se forment, dommages qui sont pratiquement irréparables. J'ai fait l'expérience que si l'on maintient le travail bien couvert avec des feuilles de cellophane du type de celles utilisées dans les teintureries, il n'est pas nécessaire d'utiliser de chiffons humides, on peut mieux contrôler le procédé de séchage et, si nécessaire, on peut asperger avec de l'eau la partie supérieure de l'objet couvert, qui tend à sécher plus rapidement.

Si l'objet a été fabriqué sur un carreau de terre cuite il est très facile de le transporter dans un lieu où on le fera sécher: il doit être bien recouvert avec du cellophane. Lorsqu'après quelques jours, on enlève le carreau sous l'objet, celui-ci doit être posé sur des baguettes en bois ou mieux encore sur une grille en bois ou en plastique qui permet à l'air de circuler sous l'objet. Le type que l'on utilise dans la douche est très pratique.

Les plats sont particulièrement délicats dans la phase de séchage car ils se déforment avec une grande facilité. Si cela est possible, quand ils sont assez secs pour pouvoir les prendre sans les déformer, il est préférable de continuer le séchage avec le plat retourné et couvert. Il est important d'être sûrs que le travail est complètement sec avant de procéder à la première cuisson autrement se présente le risque qu'il ne tienne pas la cuisson. Après avoir découvert un morceau

pour compléter le séchage, nous remarquons que l'argile change de couleur.

L'objet parfaitement sec ne doit pas donner la sensation du froid lorsque vous le touchez: le poser contre la joue est un très bon test.

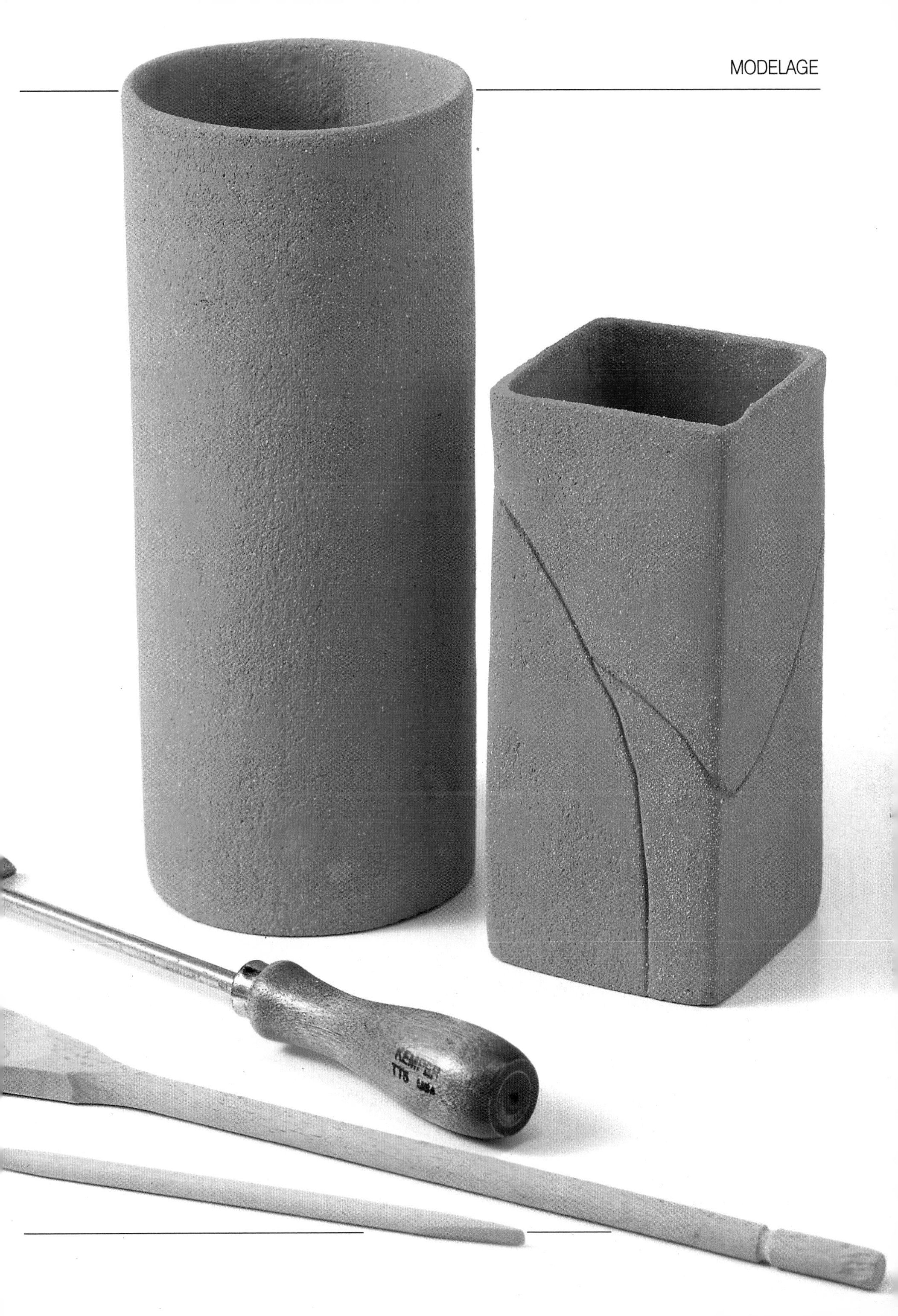
KEMPER
TT5

FINITIONS

La finition d'un objet est très importante car avec l'émaillage, d'éventuels défauts apparaissent immédiatement évidents. Un pinceau imbibé de barbotine est très utile pour «sceller», c'est-à-dire joindre, lorsque l'argile est encore fraîche.
Passer le papier seulement à séchage fini. Se rappeler que lorsqu'un objet est complètement sec, il est très fragile; pour cette raison il faut le prendre du côté de la base et jamais à partir de la partie supérieure. Une fois que vous avez bien passé le papier émeri sur l'objet, passez une éponge humide (non mouillée) sur toute la surface: l'épongeage le rendra très lisse.
Souvent on cherche à trop fignoler lorsque l'argile est très fraîche. Il existe plusieurs phases de finitions:
- finition à la main qui se poursuit au cours du travail;
- finition à la consistance du cuir;
- finition à l'état sec.

L'épaisseur et la technique de fabrication, en même temps que le type d'argile utilisé, influent sur la fragilité au moment des finitions.
Un pinceau peut être très utile pour les finitions surtout dans les espaces que l'on peut atteindre difficilement.
Il peut également arriver qu'un objet soit trop délicat pour l'achever avant la première cuisson. Dans ce cas, on doit passer du papier émeri sur le biscuit.
Dans chaque cas, avant de passer à la décoration, on doit toujours vérifier qu'il n'y ait pas sur le biscuit des endroits qui ont besoin d'être polis avec le papier émeri au grain fin, de façon à ne pas laisser de signes.

2 Si cela est nécessaire, polir l'embouchure en utilisant un morceau de papier émeri enveloppé autour d'une baguette en bois.

1 Avec un mouvement circulaire, polir la base de façon à ce que le vase repose bien sans «bouger».

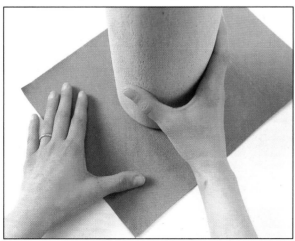

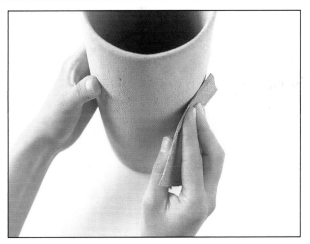

3 *Passer du papier émeri sur tout l'objet avec un mouvement circulaire. Cette opération peut sembler ennuyeuse mais elle vaut la peine car elle permet d'obtenir de meilleurs résultats lorqu'on décore un vase bien fini.*

4 *Enfin, passer une éponge humide sur l'ensemble pour terminer l'opération. Ce procédé est valable pour la finition de tous les travaux, exceptés ceux qui sont trop délicats pour être achevés avant la première cuisson.*

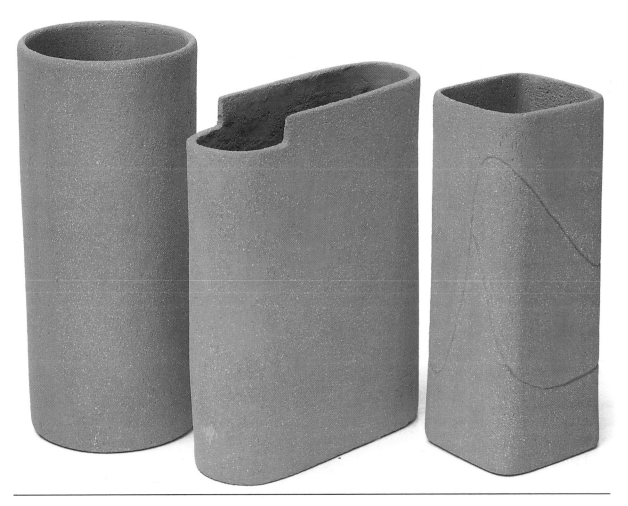

Voici certains projets réalisés
aux pages précédentes
après la première cuisson;
maintenant ils sont appelés
«biscuit» et ils sont prêts à
être décorés.

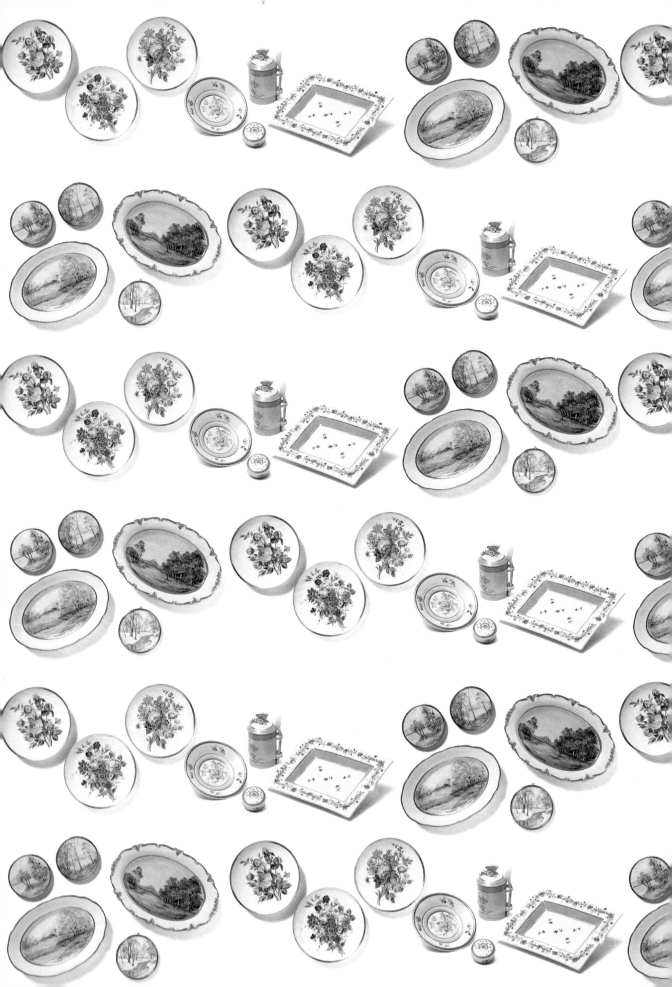

DECORATION

TECHNIQUES DE DECORATION

On peut utiliser des oxydes pour colorer les pâtes et la barbotine; oxydes et fondants pour créer ses propres émaux. Maîtriser ces techniques requiert un peu de temps, car on doit faire de nombreux essais avant d'arriver à un résultat satisfaisant, surtout pour ce qui touche aux émaux. On peut au contraire utiliser des produits commerciaux sous forme de poudre qui doivent être mélangés à l'eau. Ici, nous nous concentrerons sur les produits commerciaux déjà préparés et liquides qui s'appliquent au pinceau et ont l'avantage de ne pas pulvériser (comme le font les poudres) avant la cuisson, en simplifiant ainsi le travail. Ils sont disponibles dans une vaste gamme de tons et d'effets spéciaux. L'expression «décoration à grand feu» comprend toutes les techniques de décoration avec engobes, oxydes, émaux et la technique de la majolique. La température de cuisson varie entre 900 °C et 1060 °C. Les pâtes de porcelaine et de grès sont cuites à des températures plus élevées. La décoration se fait aussi bien sur le cru que sur le biscuit et c'est la technique la plus utilisée par le céramiste, dans le monde entier. Lorsqu'on parle de décoration à petit feu on entend, au contraire, une décoration appliquée sur un objet – souvent en porcelaine – déjà vitrifié par l'usage de glaçures. En d'autres termes, on décore sur une surface déjà émaillée. Les couleurs doivent être préparées avec de l'essence de térébenthine unie à de l'essence grasse. On rajoute souvent également de l'essence de lavande, de coquelicots ou de grains d'anis pour donner la fluidité désirée et pour contrôler la rapidité de séchage.
La cuisson est faite à une température plus basse, en général de 720 °C 800 °C environ. Lors de la cuisson, les couleurs se fondent sur la surface de la glaçure mais ne la pénètrent pas. Le petit feu est souvent utilisé pour des décors figuratifs mais de toute façon c'est une étape obligatoire pour le céramiste qui désire rajouter à son travail de l'or, du platine ou des lustres après la deuxième cuisson. Même qui ne sait pas dessiner peut faire de la céramique: comme je l'ai dit dans l'introduction, la céramique est avant tout forme et seulement ensuite décoration. Naturellement, faire une décoration de majolique et de petit feu est plus facile si on sait dessiner; mais, un dessin peut être copié. De plus, il existe de nombreuses autres façons de décorer. Pour beaucoup d'élèves c'est un plaisir de découvrir le monde fascinant des émaux qui ne demandent pas une grande habileté pour le dessin.
Les possibilités décoratives sont en même temps anciennes et illimitées. Au cours du travail, l'argile même suggère le prochain pas. Il y a des objets qui demandent une décoration simple qui ne doit pas interférer avec la forme, alors que d'autres formes se prêtent à des décors compliqués. L'important est d'expérimenter les différentes techniques en pensant que l'une n'exclue pas l'autre, même sur le même objet. Chaque forme présente des possibilités variées de décoration. Il est donc important de faire des essais pour comprendre quelle technique ou combinaison de techniques soit plus adaptée à l'effet que l'on veut obtenir.
Rappelons-nous qu'imprimer ou graver un dessin dans l'argile ou rajouter des formes au cours du travail est déjà un début de décoration.
On n'obtient pas toujours l'effet désiré, surtout au début, mais avec patience et un peu de pratique, chaque travail nous fera avancer d'un pas.
Pour rendre une preuve significative, il est important d'écrire ce que l'on a fait et les résultats obtenus, surtout pour pouvoir les répéter ou éviter des erreurs et des effets non désirés.
Chaque couleur a sa dynamique. Les émaux se comportent différemment sur des argiles différentes car ils sont influencés par la couleur du biscuit. Par exemple, un émail couvrant ne sera pas bien différent sur une argile rouge ou sur une argile blanche, mais un émail moins couvrant ou même transparent changera de tonalité selon les différentes couleurs du biscuit. La température de cuisson, surtout lorsqu'elle est plus élevée, rend les émaux plus fluides. Cette caractéristique peut être utilisée pour obtenir des effets particuliers.

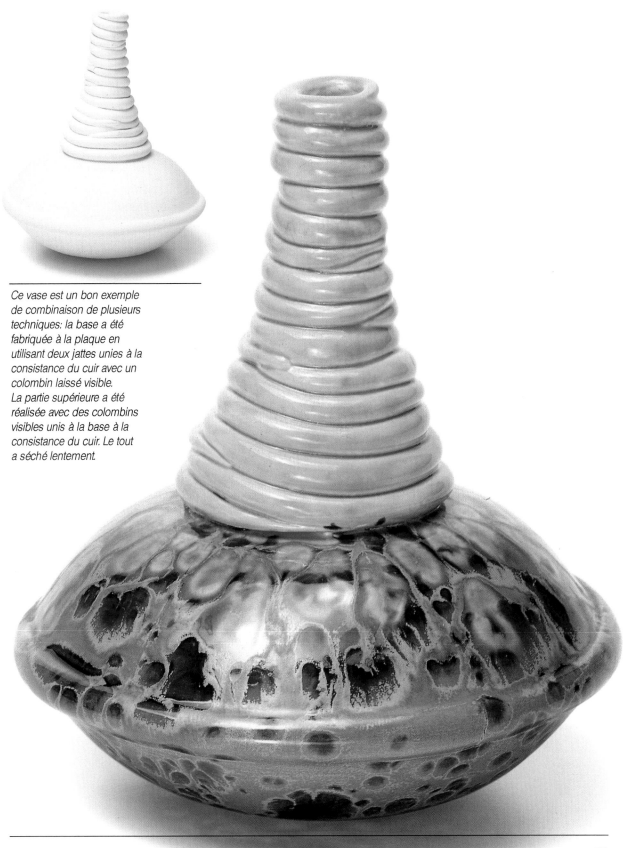

Ce vase est un bon exemple de combinaison de plusieurs techniques: la base a été fabriquée à la plaque en utilisant deux jattes unies à la consistance du cuir avec un colombin laissé visible.
La partie supérieure a été réalisée avec des colombins visibles unis à la base à la consistance du cuir. Le tout a séché lentement.

LES MATERIAUX

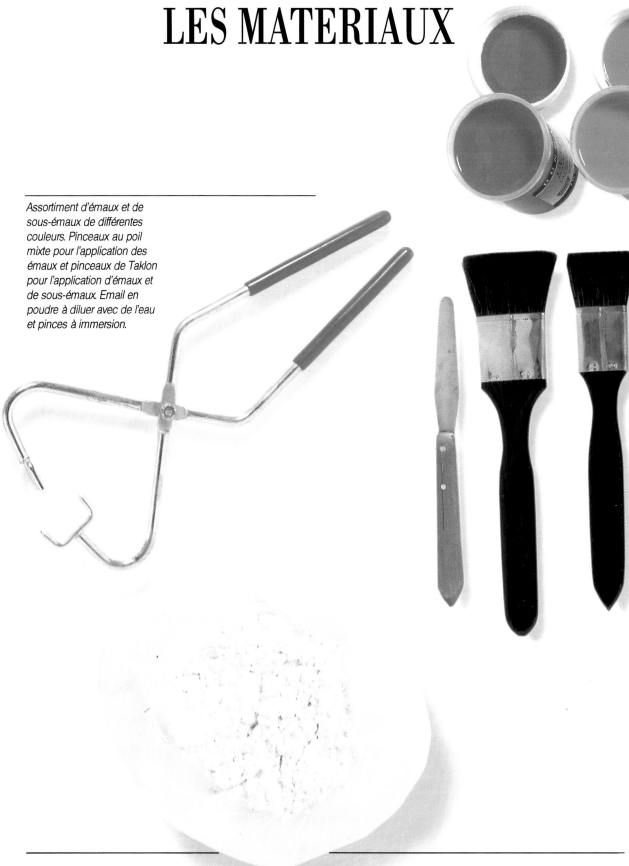

Assortiment d'émaux et de sous-émaux de différentes couleurs. Pinceaux au poil mixte pour l'application des émaux et pinceaux de Taklon pour l'application d'émaux et de sous-émaux. Email en poudre à diluer avec de l'eau et pinces à immersion.

LES EMAUX

Nous pouvons dire que les émaux et les glaçures représentent du verre fondu sur la surface de l'argile car ils vitrifient d'eux-mêmes pendant la cuisson.
Ils existent en version opaque, brillante et mate.
Les émaux sont appelés «durs» s'ils bougent peu durant la cuisson, «souples» s'ils bougent davantage.
En général, les émaux mats sont des émaux durs.
En superposant deux émaux de couleur différente ceux-ci réagiront lors de la cuisson en créant un effet spécial. Au contraire, nous devons mélanger les émaux avant l'application pour obtenir une tonalité différente.
Les émaux transparents et les glaçures colorées sont plus indiqués pour des objets à relief car ils créent un effet de clair-obscur dû à l'accumulation d'émail dans les creux.
Les émaux en poudre doivent être mélangés avec de l'eau. Un bon rapport est 1 kg de poudre dans 1 kg

d'eau. Ils doivent être passés dans un tamis à la maille fine pour s'assurer qu'il n'y ait pas de grumeaux. Normalement, ils sont appliqués par pulvérisation, par immersion, ou par aspersion, c'est-à-dire en versant l'émail sur l'objet, ou avec le pinceau.
Le point le plus important dans l'application de n'importe quel émail est d'obtenir une épaisseur uniforme et homogène. Un émail appliqué avec une épaisseur exagérée très souvent se «retire» de façon à montrer le biscuit au-dessous. Au contraire, si l'émail est «maigre», la surface apparaît rugueuse et souvent l'objet n'est pas vitrifié.

Jatte décorée avec des émaux transparents qui mettent en évidence la décoration gravée.

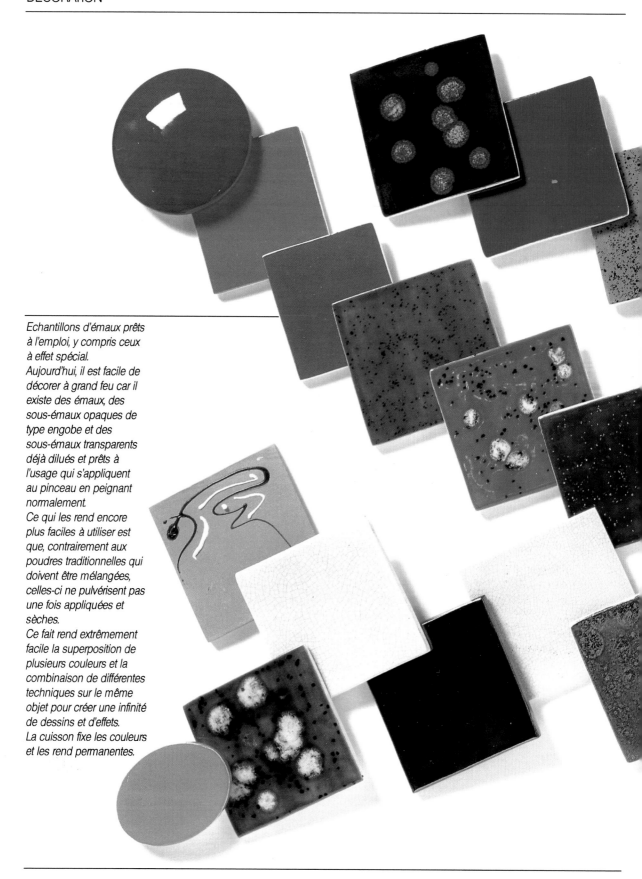

Echantillons d'émaux prêts
à l'emploi, y compris ceux
à effet spécial.
Aujourd'hui, il est facile de
décorer à grand feu car il
existe des émaux, des
sous-émaux opaques de
type engobe et des
sous-émaux transparents
déjà dilués et prêts à
l'usage qui s'appliquent
au pinceau en peignant
normalement.
Ce qui les rend encore
plus faciles à utiliser est
que, contrairement aux
poudres traditionnelles qui
doivent être mélangées,
celles-ci ne pulvérisent pas
une fois appliquées et
sèches.
Ce fait rend extrêmement
facile la superposition de
plusieurs couleurs et la
combinaison de différentes
techniques sur le même
objet pour créer une infinité
de dessins et d'effets.
La cuisson fixe les couleurs
et les rend permanentes.

COMMENT PROCEDER

Préparer la pièce en vérifiant qu'il n'y ait pas d'imperfections dans le biscuit à passer au papier émeri. Ensuite, éponger avec une éponge humide pour ôter toute trace de poussière et de gras car ceux-ci agissent comme isolants et empêchent l'émail de «prendre». Si on le désire, on peut dessiner sur le biscuit avec un crayon non gras, car avec la cuisson le trait brûle et disparaît. Décorer toujours l'arrière du plat ou de la jatte en maintenant l'objet

légèrement soulevé, pour éviter que le bord soit au contact du plan de travail. Pour décorer un vase, colorer toujours d'abord l'intérieur en se rappelant qu'après la cuisson, on verra la couleur de l'argile, blanche ou rouge, si vous avez utilisé une glaçure transparente ou bien la couleur de l'émail.
Une fois la décoration achevée, passer la base de l'objet sur une éponge humide pour la nettoyer, autrement l'objet se collera à la plaque du four.

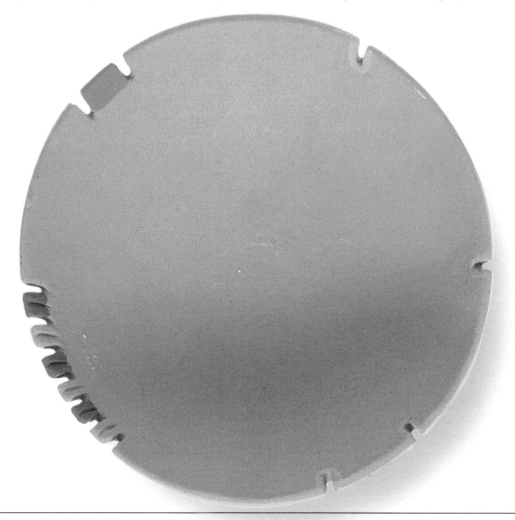

1 Tremper le pinceau dans la couleur jusqu'au milieu du poil et ôtez-en l'excès d'un côté. Se rappeler que le pinceau à poil mixte «tient» la couleur plus qu'un pinceau de martre pur ou qu'un synthétique: c'est en effet le pinceau qui «porte» la couleur.

2 Pour couvrir des zones amples, utiliser un pinceau plat et large. Etendre de façon homogène les différentes couches d'émail, en le faisant bien sécher entre une couche et l'autre, à l'aide d'un séchoir à cheveux si nécessaire. Le coup de pinceau doit être long, donné avec un mouvement souple de va-et-vient, sans tirer la couleur.

3 Maintenir le pinceau perpendiculaire et appliquer la couleur en tamponnant le long des bords pour éviter des bavures.

4 Pour passer l'émail ou la glaçure transparente à l'intérieur d'un vase, y verser de la couleur légèrement diluée et le faire rouler sur lui-même de façon à obtenir une épaisseur uniforme. Eliminer l'excès de couleur.

5 Si nécessaire, repasser au pinceau les parties où l'émail n'est pas arrivé.

Si on le désire, on peut isoler une partie du biscuit en le couvrant avec du papier adhésif crêpé et en appliquant la couleur. Ce système peut être utilisé également sur un émail déjà sec.

6 L'utilisation du papier adhésif crêpé n'est pas conseillée lorsqu'on travaille avec des émaux en poudre.

7 *Peindre la partie au-dessous du papier.*

8 *Oter le papier lorsque la couleur est bien sèche.*

Pour appliquer un émail par aspersion, poser l'objet sur un récipient en le tenant soulevé à l'aide de baguettes en bois. Verser la couleur au-dessus jusqu'à recouvrir entièrement l'objet ou seulement en partie.
9 *On peut verser des émaux de différentes couleurs.*

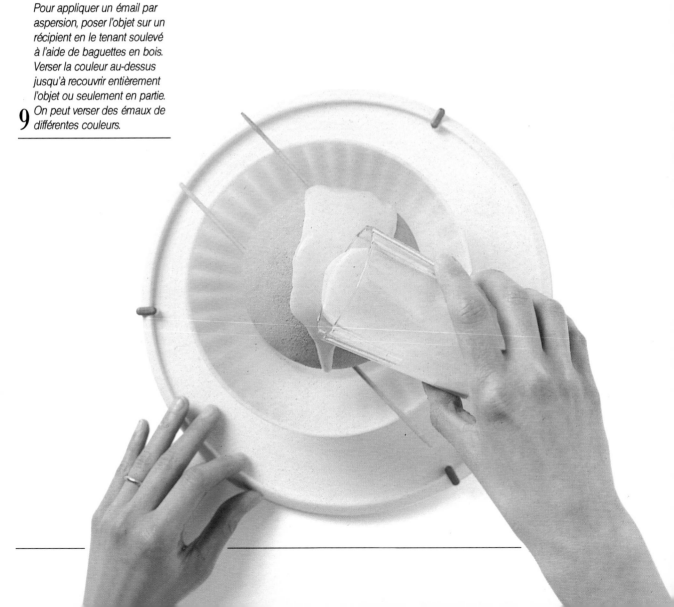

Objets émaillés et prêts à la deuxième cuisson. Avec l'expérience, on pratique mieux le changement de couleur avant et après la cuisson.

Cette jatte a été peinte avec
un émail de couleur turquoise,
sur lequel a été appliquée une
couche d'émail à effet spécial.

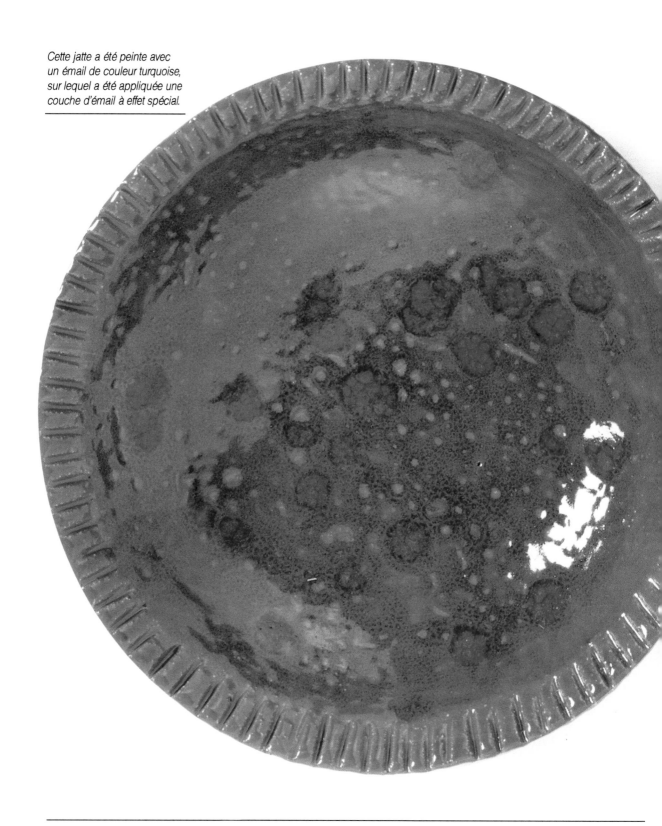

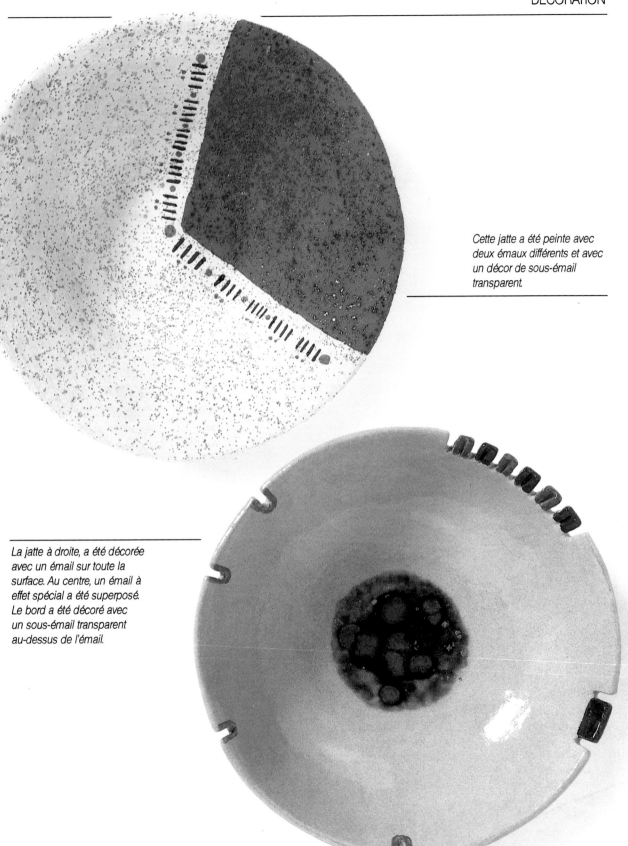

Cette jatte a été peinte avec deux émaux différents et avec un décor de sous-émail transparent.

La jatte à droite, a été décorée avec un émail sur toute la surface. Au centre, un émail à effet spécial a été superposé. Le bord a été décoré avec un sous-émail transparent au-dessus de l'émail.

SOUS-EMAUX OPAQUES SEMBLABLES AUX ENGOBES

Ces couleurs peuvent être appliquées sur le cru sec prêt pour la première cuisson ou bien sur le biscuit. Les engobes traditionnels sont appliqués normalement sur l'argile lorsqu'elle a obtenue la consistance du cuir. Ils ne se vitrifient pas et cuisent avec un aspect mat. La glaçure transparente donne un effet de couleur différente. On peut en effet «dessiner» avec la glaçure pour obtenir un effet de clair-obscur. A la différence des émaux, ces couleurs ne bougent pas et ne se mélangent pas entre eux durant la cuisson. Le dessin reste inaltéré.

Objets décorés avec des sous-émaux couvrants:
- plat en terre cuite décoré avec des sous-émaux blanc et gris;
- le carreau noir a été entaillé pour faire apparaître la couleur de l'argile blanche au-dessous et puis recouvert d'une glaçure transparente;
- le plat a été décoré sur un biscuit rouge avec une superposition de couleur et la présence de glaçure transparente seulement en partie;
- le vase, à la plaque rigide, a été décoré sur le cru, d'abord avec la couleur noire. Le blanc a été appliqué sur le noir. Ici aussi, une partie de la couleur a été striée pour laisser entrevoir la couleur de l'argile du dessous.

Un surtout construit à plaques superposées, décoré avec des sous-émaux transparents, sous-émaux opaques et glaçure transparente.

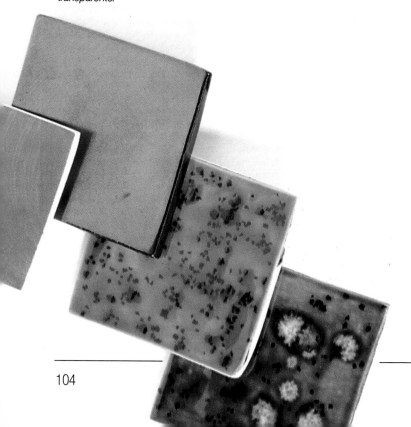

TECHNIQUE DE LA MAJOLIQUE

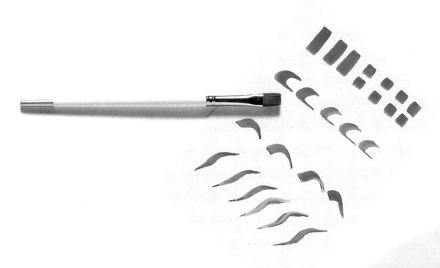

Le terme «majolique» dérive de la ville de Majorque ou Majolique qui au XIVᵉ siècle et au début du XVᵉ était le port le plus important des Baléares pour les trafics maritimes entre l'Espagne et l'Italie. Le biscuit rouge était recouvert d'un émail blanc stanniphère décoré avec des oxydes qui se fixaient dans l'émail durant la cuisson.

Aujourd'hui, l'émail blanc est sans plomb et en plus des oxydes en poudre, on peut utiliser également les sous-émaux transparents déjà prêts qui ne pulvérisent pas. Les mêmes types de couleur utilisés pour peindre sur l'émail cru peuvent être utilisés pour peindre sur le biscuit blanc mais, dans ce cas, ils ont besoin de glaçures transparentes pour vitrifier.

Comme dans toutes les techniques, si on veut faire un dessin figuratif, on doit avoir une certaine maîtrise du pinceau. Au début, on peut également copier un dessin sur du papier-calque transparent et puis le reporter sur l'objet. Si on utilise des glaçures ou des émaux qui pulvérisent, on doit peindre directement sur l'objet ou bien utiliser la technique du poncif et tracer le motif sur du papier à dessin. Trouer le dessin avec une aiguille fine en posant le papier sur un linge. Ensuite, avec un tampon (sachet rempli de poudre de charbon ou de graphite pulvérisée) tamponnez tout le dessin sur l'objet. Celle-ci est une opération assez délicate car l'émail s'endommage avec beaucoup de facilité et il faut être sûr de bien imprimer le dessin. Commencer avec des dessins simples sur des carreaux ou des petits plats, en copiant des dessins traditionnels non compliqués.

Voici quelques coups de pinceaux de base. Pour rendre le travail plus facile, au début, utiliser une feuille de papier transparent appuyée sur le dessin et le tracer simplement avec le pinceau (voir p. 106, en haut). Petit à petit, on arrivera à ne plus avoir besoin du papier. On apprendra à «lire» un dessin, c'est-à-dire à voir dans quelle direction porter le pinceau. Beaucoup de personnes trouvent qu'il est plus facile de peindre en dirigeant le pinceau vers soi-même.

Objets décorés avec la technique de la majolique.

RAKU

La technique raku mériterait un livre entier, ce chapitre s'adresse à ceux qui pensent s'appliquer dans les premiers pas de cette technique ancienne, fascinante, car elle donne au céramiste un contact plus direct avec l'objet à travers la possibilité d'intervenir dans la conduite de la cuisson même et parce que ce procédé comprend des éléments fondamentaux tels que l'improvisation et l'imprévisibilité.

Le mot *raku* signifie «jouir le jour» et il est relié à la philosophie Zen et à la cérémonie du thé. Dans la culture japonaise, il est très important d'être entouré de beaux objets.

Il semble que les premières cuissons raku aient été faites au XVIᵉ siècle dans la ville de Kyoto.

La cuisson se fait rapidement et l'objet est extrait du four à l'état incandescent, lorsque les émaux ont atteint le point de fusion; il est nécessaire d'utiliser une pâte adaptée qui résiste au choc thermique. L'objet est placé dans un récipient rempli de sciure, de journaux, de feuilles sèches, etc. pour créer une réduction. Selon le matériel utilisé, on obtient plusieurs couleurs et des effets de lustres. L'objet peut être recouvert entièrement ou seulement en partie pour réaliser une réduction partielle. Les parties de l'objet qui ne sont pas émaillées deviennent noires avec la réduction. Pour arrêter la réduction, l'objet est immergé dans l'eau. Généralement, le céramiste prépare lui-même les émaux pour le raku, qui doivent avoir un point de fusion bas; avec les émaux, il utilise aussi divers oxydes métalliques.

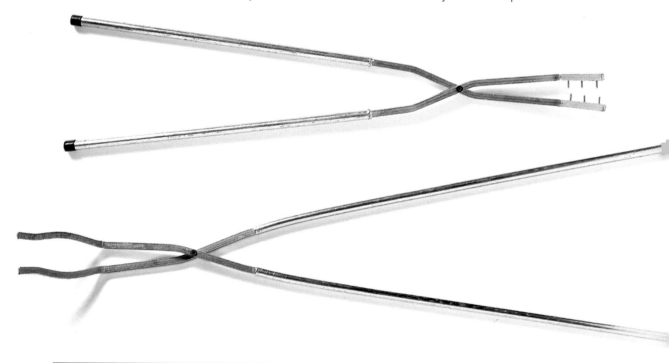

Les bols illustrés dans cette page
sont fabriqués avec la technique
de la boule. Ici, on remarque bien le
changement de couleur de l'argile
avant et après la cuisson. La partie
qui n'est pas émaillée devient
noire avec la réduction.

«Mêler ces éléments - terre, eau, feu - avec moi-même, devient essentiel pour mon esprit. C'est un donner et un avoir continu jusqu'à la fin, si jamais il y aura une fin. On a l'impression que tout continue, même quand il paraît fini, puisque l'objet continuera à être: il veut avoir un monde à soi.»
Chiara Nuti, auteur des objets raku illustrés dans ces pages.

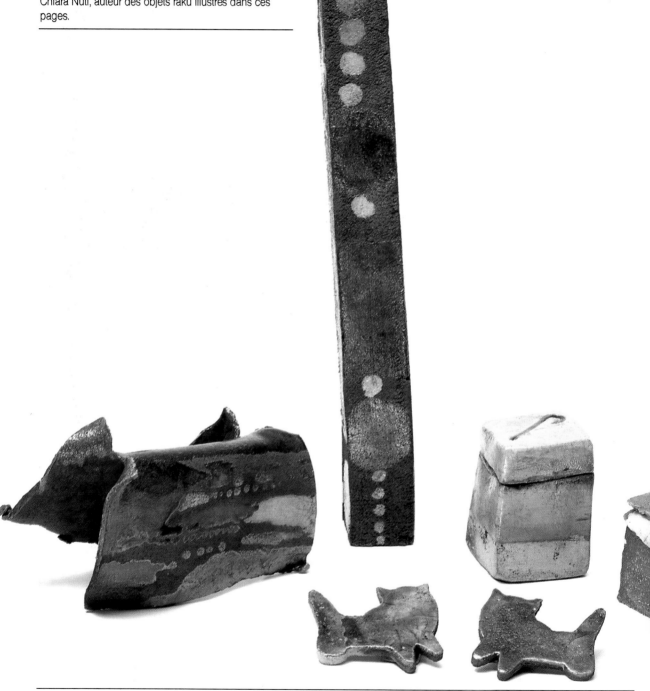

LA DECORATION A PETIT FEU

Cette technique de décoration se fait sur un objet déjà vitrifié par la deuxième cuisson. On utilise des couleurs en poudre qui peuvent être mélangées entre elles.

On les prépare avec de l'essence de térébenthine et de l'essence grasse, et parfois en rajoutant de l'essence de lavande lorsqu'on veut obtenir un coup de pinceau plus estompé ou pour tamponner. La température normale de cuisson est de 720 °C - 800 °C environ, alors que certains rouges doivent être cuits entre 500 °C et 600 °C.

*Objets décorés à petit feu
avec motifs floraux et filet
en or.*

LES MATERIAUX

- Une tablette en verre.
- Une spatule longue pour mélanger les couleurs en poudre.
- Essence de térébenthine, essence grasse, essence de lavande.
- Papier-calque et crayon gras pour tracer et reporter un dessin.
- Pinceau spécial pour marquer les filets d'or et bâtonnet pour faire briller l'or après la cuisson.
- Tampons de caoutchouc mousse pour tamponner la couleur.
- Couleurs de petit feu en poudre.
- Porte-plume avec plusieurs plumes pour étendre la couleur tout autour du dessin.
- Tournette pour faire les filets.
- Morceaux d'étoffe pour nettoyer les pinceaux.
- Pinceaux en poils de martre de différentes dimensions et de très bonne qualité, pour toutes les opérations de décor.

Ces matériaux ainsi que les pièces à décorer se trouvent dans les magasins spécialisés dans les articles pour petit feu.

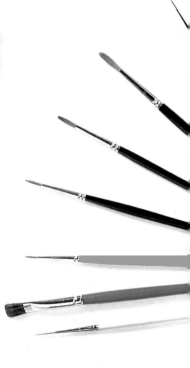

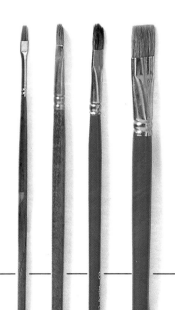

 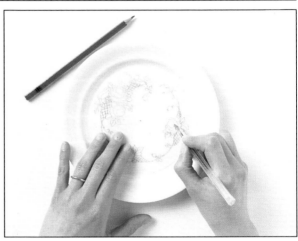

1 Utiliser le crayon gras pour repasser l'égèrement sur le papier-calque le motif que vous voulez copier.

2 Nettoyer l'objet avec un chiffon et de l'essence de térébenthine, puis passer une goutte d'essence grasse. Laisser sécher. Ensuite, retourner le papier et le poser sur l'objet. Passer de nouveau sur le dessin avec une pointe, de façon à ce que la partie avec le crayon gras reste sur l'objet.

Préparer toujours peu de couleur à la fois excepté lorsqu'on doit tamponner et colorer de grandes zones. La couleur, en effet, sèche rapidement durant le travail. Pour la maintenir souple, il faut ajouter de l'essence de térébenthine petit à petit. Unir une pointe d'essence grasse seulement si cela est nécessaire vu que l'essence de térébenthine s'évapore, mais l'essence grasse non. Mettre donc un peu de poudre sur la plaque de verre et, toujours avec la pointe de la spatule, rajouter une goutte d'essence de térébenthine et une goutte d'essence grasse. Une fois mélangée, la couleur ne doit pas apparaître ni maigre ni grasse. Si le résultat est peu brillant, rajouter une pointe d'essence grasse. La consistance juste
3 varie selon la couleur et le type d'essence grasse utilisée.

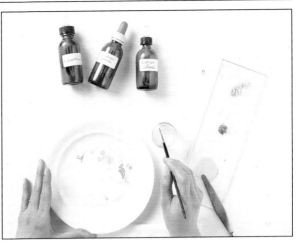

4 Si l'on veut, avec une plume, on peut contourner le dessin avec une couleur contrastante par rapport à celle que vous voulez utiliser à l'intérieur de la forme. Laisser sécher. On peut également utiliser la même couleur et puis l'appliquer à l'intérieur de la forme; dans ce cas, ne pas laisser sécher.

5 Avant de tremper le pinceau dans la couleur, mouiller la pointe dans l'essence de térébenthine pour enlever d'éventuels résidus de couleur du dernier travail réalisé.

6 Sécher délicatement l'excès de couleur sur un linge.

7 Ici, nous voyons le dessin décalqué au début de la coloration.

8 Tremper le pinceau dans la couleur en en prenant un peu à la fois; selon la pression que l'on exerce dans le coup de pinceau, on peut déjà créer des nuances.
Passer le pinceau toujours vers soi. Etudier avec attention la forme d'une fleur ou d'une feuille pour décider où faire démarrer le coup de pinceau.

9 Pour ôter de la couleur ou une partie du dessin non voulue, utiliser la pointe du pinceau avec un peu d'essence de térébenthine; si la couleur est déjà sèche, utiliser la pointe du grattoir pour effacer ou pour enlever de la couleur et pour créer des zones de lumière.

10 *Tamponner en utilisant un tampon de caoutchouc mousse ou une petite éponge à tampon après avoir ajouté à la couleur préparée l'essence de lavande et avoir isolé le bord avec le vernis à réserver de façon à protéger la partie que vous ne voulez pas tamponner.*

11 *Oter le vernis à réserver après avoir terminé le tamponnage qui reste toujours délicat avant la cuisson.*

Pour faire des filets au-dessus ou à côté d'une couleur, cette couleur doit être déjà cuite. Pour faire des filets directement sur l'objet, on peut cuire le décor et l'or ensemble. Poser et centrer l'objet sur la tournette qui est tourné avec un petit coup de main en maintenant la main avec le pinceau stable. La pression que l'on exerce sur le pinceau détermine la largeur du filet. Si l'or avant la cuisson a une couleur violette, cela signifie que l'épaisseur est trop légère. Si après **12** *la cuisson l'or se fissure, c'est pour la même raison.*

L'effet visuel du même dessin
peut changer complètement
en utilisant des objets
différents.

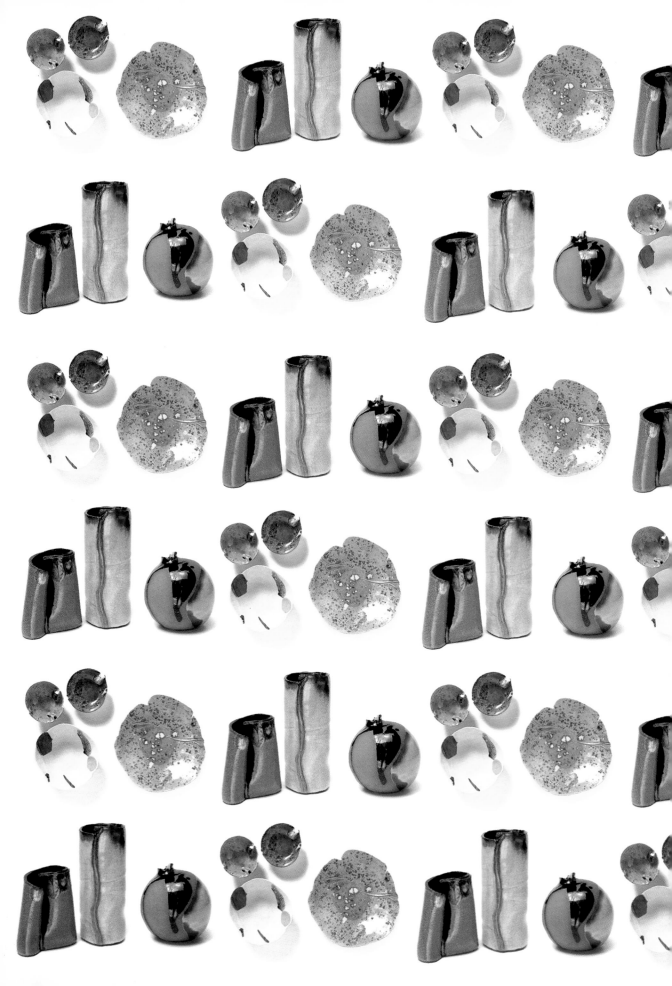

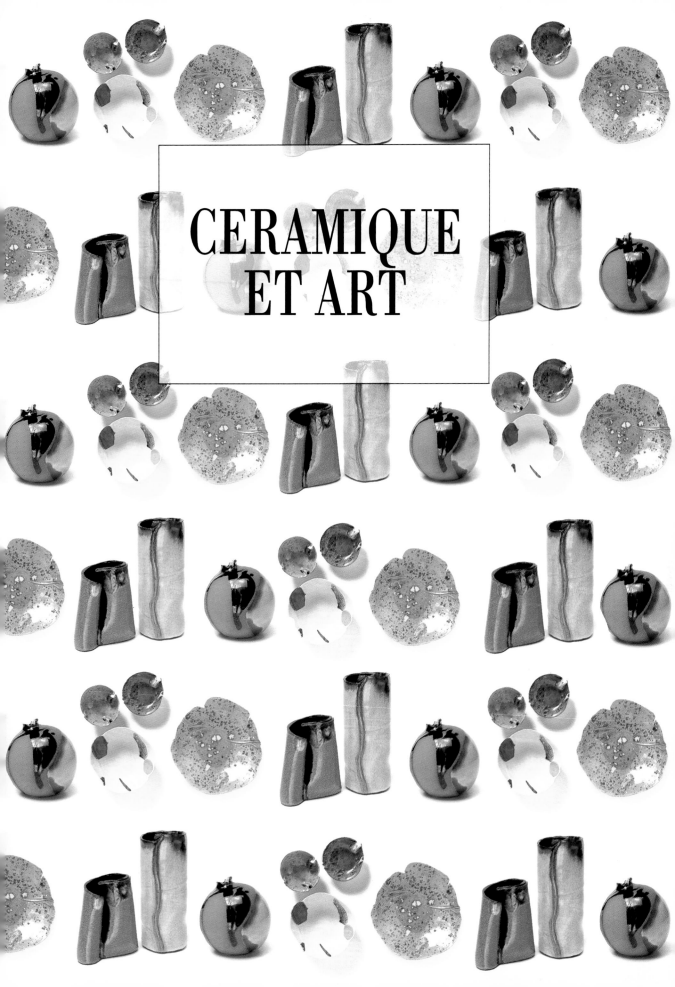

CERAMIQUE
ET ART

LA CERAMIQUE COMME MOYEN ARTISTIQUE

On peut dire que la céramique est née avec l'homme: depuis le début, elle a été utilisée pour créer des objets fonctionnels, principalement pour la préparation et la conservation de la nourriture. Au cours des siècles et aujourd'hui encore, la céramique a servi de support pour les communications écrites, tablettes ou plaques, ou bien elle a été destinée à l'usage religieux et rituel avec des statuettes votives, des vases de cérémonie décorés avec des symboles.

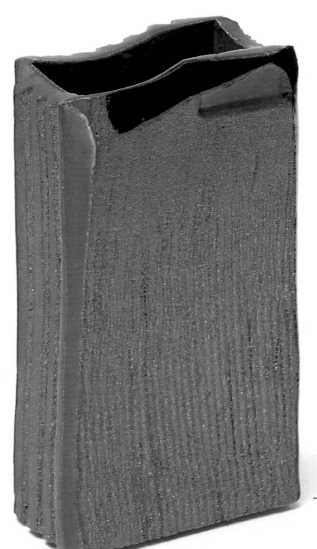

Des scènes de vie quotidienne, des thèmes mythiques ou à caractère religieux, des scènes de chasse ou de guerre ornaient, dans l'antiquité, les céramiques mycéniennes, grecques et étrusques. Actuellement, la céramique d'usage quotidien est produite principalement par l'industrie, même si de nombreux laboratoires d'artisans continuent la tradition.

Alors que dans le passé, la céramique, vu son caractère principalement fonctionnel, était considérée un art mineur pour la pauvreté du matériel de base utilisé, c'est-à-dire l'argile, aujourd'hui la valeur d'un objet céramique est considérée en rapport à ses qualités artistiques et esthétiques.

Certaines galeries d'art en Europe, Japon, Canada et Etats-Unis se sont spécialisées dans la présentation de sculptures et d'objets décoratifs céramiques, en plus des œuvres de peinture et de sculpture traditionnels. La valeur artistique de la céramique contemporaine est de plus en plus reconnue, même si lentement parfois, spécialement lorsqu'une œuvre est un objet unique, car créée et décorée entièrement à la main, de façon non répétée à cause de sa forme, de sa décoration et même du type de cuisson.

Vase fabriqué à la plaque rigide avec de l'argile semi-réfractaire rouge, gravée, entaillée et décorée avec des émaux cuits à 1060 °C.

Sculpture murale fabriquée
à la plaque, avec de l'argile
semi-réfractaire, décorée
avec des engobes et
des émaux.

Jatte en porcelaine décorée
avec des émaux superposés.
Cuisson à 1200 °C.

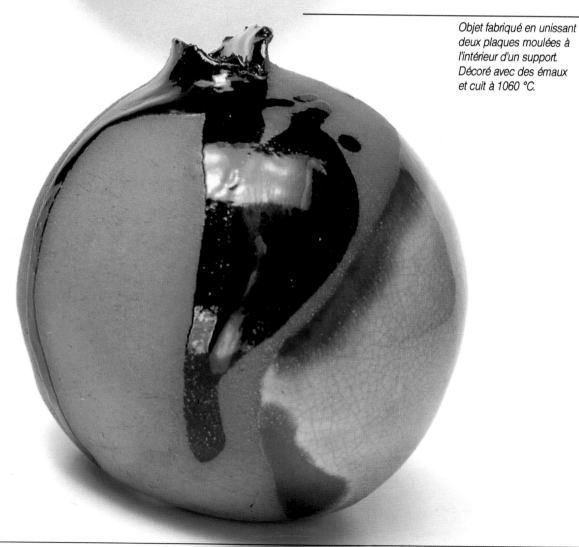

Objet fabriqué en unissant
deux plaques moulées à
l'intérieur d'un support.
Décoré avec des émaux
et cuit à 1060 °C.

*Vases fabriqués à la plaque
souple avec des émaux
en superposition sur
la partie supérieure.*

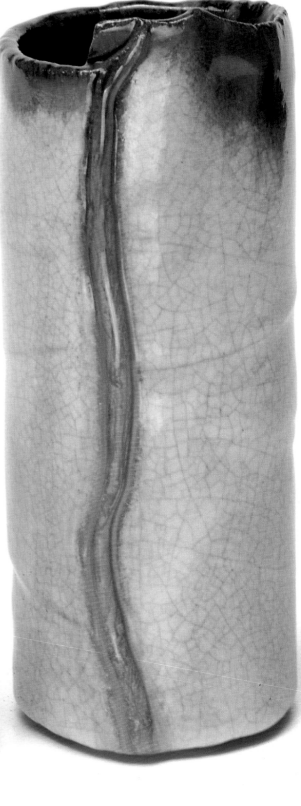

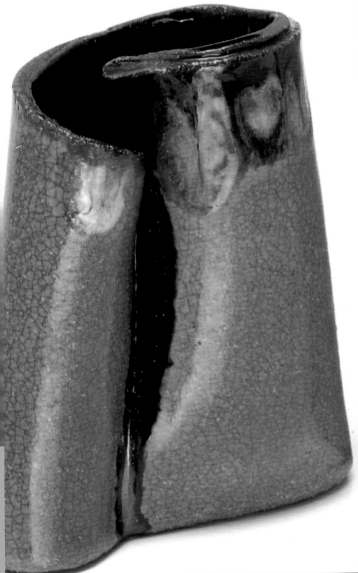

*Vase fabriqué à la plaque,
en porcelaine, émaillé et cuit
à 1200 °C.*

*Jatte en porcelaine fabriquée
avec une plaque unique.
Email doré à l'intérieur
avec une partie centrale
en verre de Murano. Email
contrastant à l'extérieur.
Il a été cuit à 1200 °C.*

Des jattes et un surtout en porcelaine fabriqués
à la plaque à l'intérieur de supports, émaillés
avec plusieurs émaux en superposition et
cuits à 1200 °C.

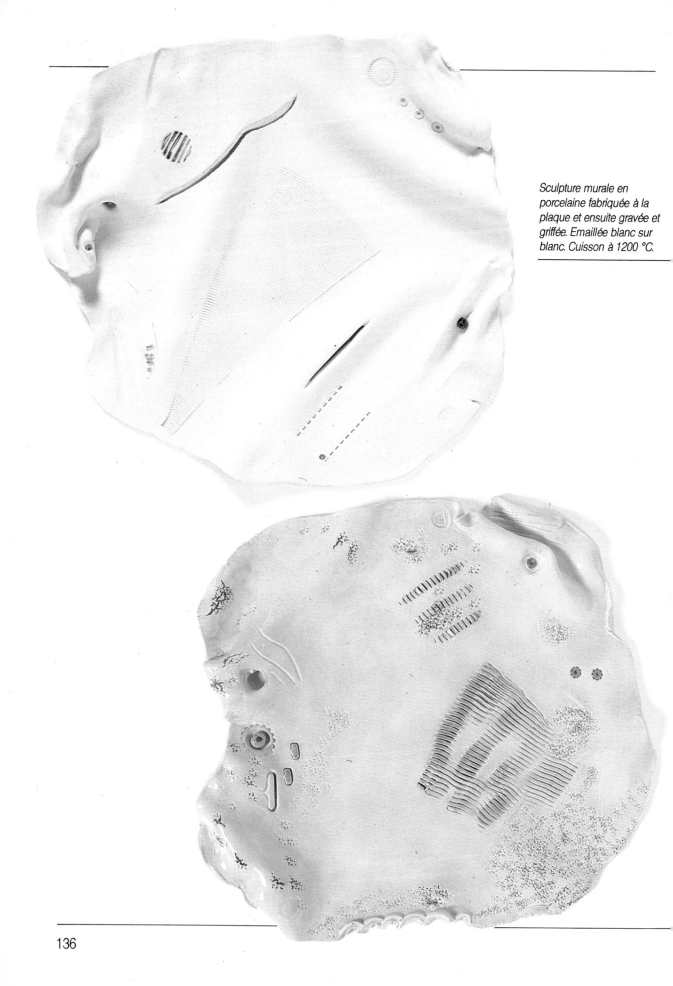

Sculpture murale en porcelaine fabriquée à la plaque et ensuite gravée et griffée. Emaillée blanc sur blanc. Cuisson à 1200 °C.

À la page ci-contre en bas et ci-dessous: sculptures murales en porcelaine fabriquées à la plaque et ensuite gravées et griffées. Emaillées et cuites à 1200 °C.

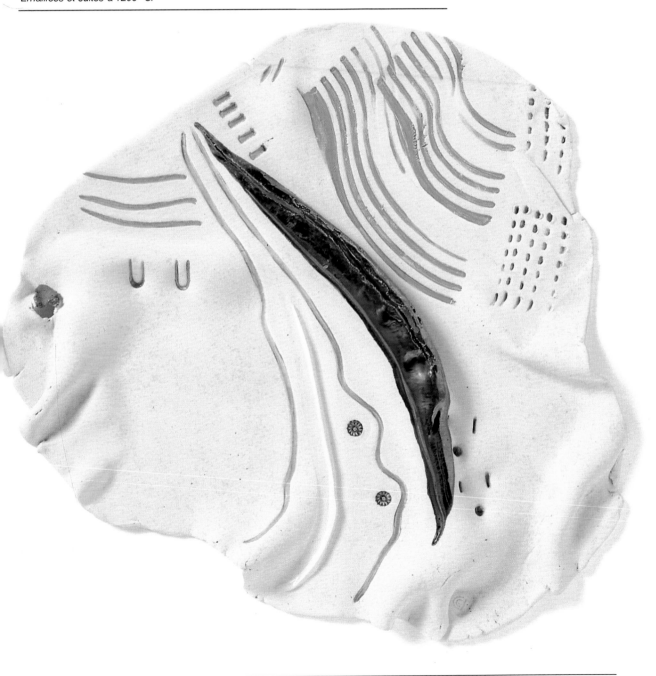

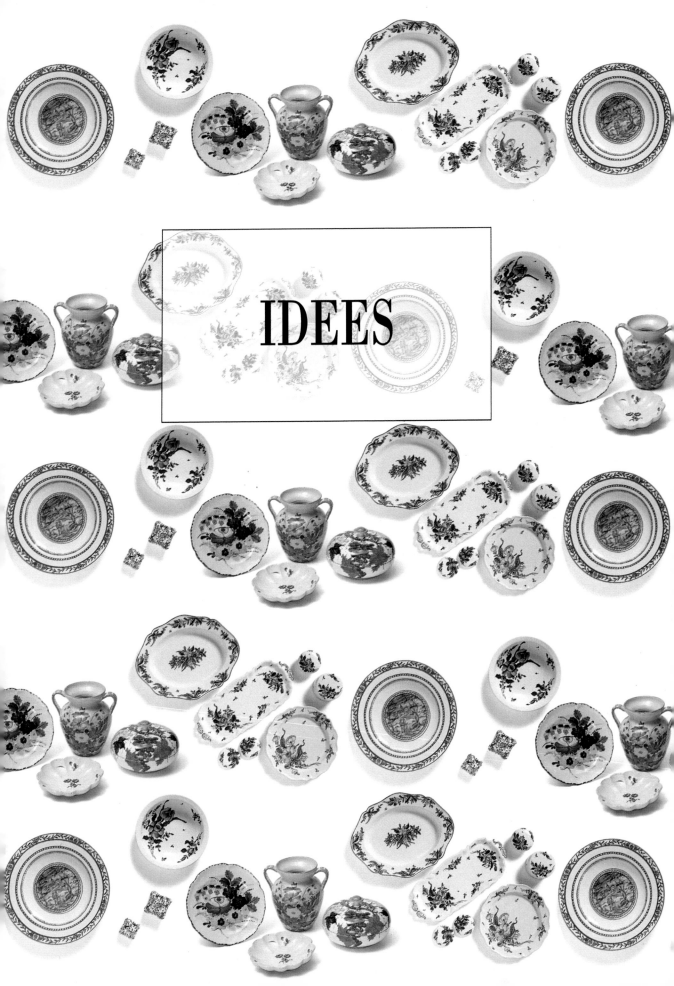

IDEES

*Vases au colombin.
En bas à gauche, vase
émaillé avec émail brillant
et émail métallisé.
Cuisson à 1000 °C.
A droite, vase émaillé avec
un émail noire opaque.
Engobe blanc avec glaçure
transparente craquelée.*

Boîte réalisée à la plaque rigide.
La décoration utilise la «réserve»
pour isoler une partie du biscuit
et en même temps isoler
également les différents
émaux en superposition.
Cuisson à 1040 °C.

141

*Plat en porcelaine égratigné
et décoré avec des émaux.
Cuisson à 1200 °C.*

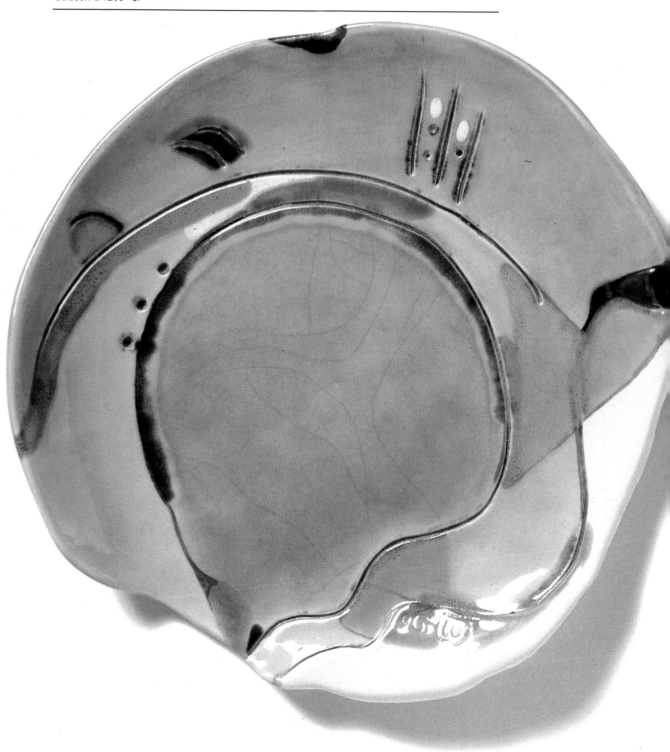

Plat réalisé avec des plaques
superposées et laissées
visibles. La réalisation même
a suggéré l'application
des différents émaux.
Cuisson à 1060 °C.

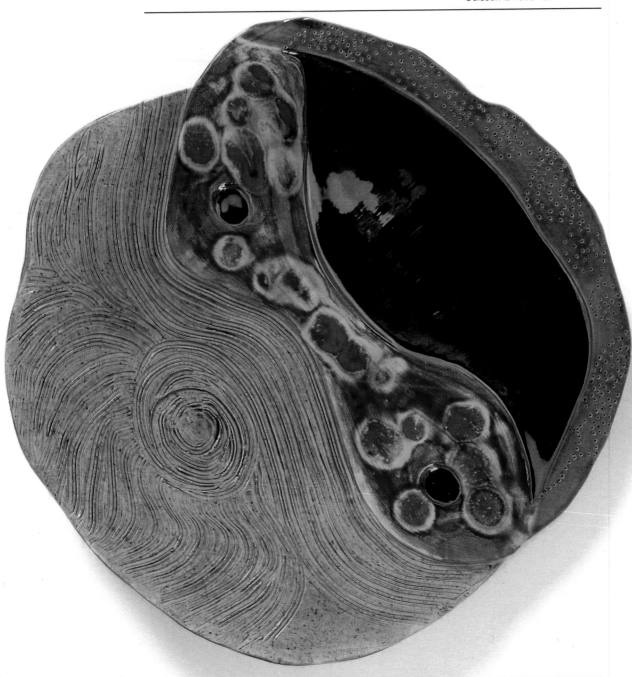

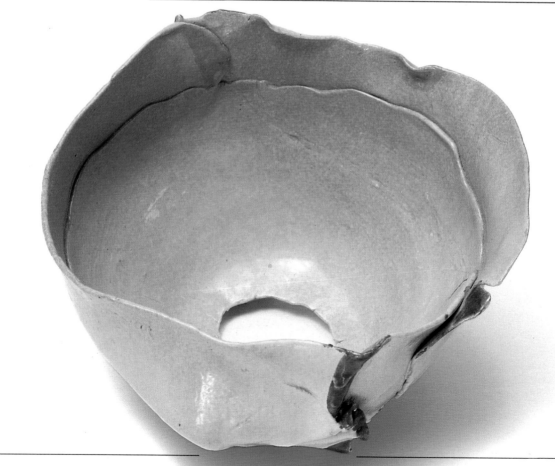

Deux bols fabriqués avec des
plaques superposées en
utilisant l'extérieur d'un support.
Les émaux ont été cuits
à 1000 °C.

Deux surtouts «à fleur» réalisés
à la plaque à l'intérieur d'un
support. Le biscuit a été
décoré en superposant
plusieurs émaux.
Cuisson à 1000 °C.

Objets en faïence.

Petites boîtes et plats en
faïence décorés de couleur
bleu cobalt.

Plat décoré avec la technique
de la majolique.

Plats en faïence.

Plats décorés à petit feu.

Plats décorés avec la technique du petit feu.

*Vases décorés avec la
technique du petit feu.*

REMERCIEMENTS

A Rosmunda Imoti, qui a rendu possible la réalisation de ce manuel.
A l'entreprise Ceramica Amica snc, de Monza (Milan), distributrice italienne des produits Duncan Enterprises, qui a fourni tout le nécessaire pour le modelage et la décoration des objets à grand feu.
A Ruth Breitenstein, pour les plaques et les objets à petit feu et pour son aide silencieuse.
A Chiara Nuti, créatrice des pièces en raku.
A Sonia Scaccabarozzi non seulement pour ses magnifiques vases-sculpture, mais également pour avoir été une assistante créative et infatiguable.
A Rachele Vitacolonna («Il Fioraccio» di Brugherio - Milan) qui m'a permis de photographier les majoliques anciennes, de l'ancienne entreprise Ceramiche Artistiche Beniamino Colonna, Rapino dans la province de Chieti.
A Marta Fornaciari pour les travaux à petit feu.
A Gino Franchi, de la Ceramica «Vecchia Lodi» de Lodi pour les travaux en faïence.
Aux élèves qui m'ont gentiment permis de photographier leurs œuvres: Fanny Abbà, Vittoria Monti, Rosanna Murru, Cinzia Ronchi et Liliana Zizzi.
Encore merci à toute l'équipe photographique et graphique avec un remerciement particulier à Cristina Sperandeo.

Traduction: Florence Moly Mariotti

Photos: Alberto Bertoldi et Mario Matteucci

Projet graphique et mise en pages:
Paola Masera et Amelia Verga

Couverture: Maurizio Bajetti

Photocomposition: G&G computer graphic, Milan